A DIETA DO FUTURO

DR. HIROMI SHINYA

A DIETA DO FUTURO

que previne cardiopatias, cura o câncer e controla o diabetes tipo 2

Tradução
SONIA BIDUTTE

Editora
Cultrix
SÃO PAULO

Título original: *Byoki ni Naranai Ikikata.*

Publicado originalmente em japonês pela Sunmark Publishing, Inc., Tóquio, Japão.

Tradução para a língua portuguesa publicada mediante acordo com a Sunmark Publishing, Inc. por intermédio da InterRights, Inc., Tóquio e Sylvia Hayse Literary Agency, LLC, Bandon, Oregon.

A tradução para a língua portuguesa foi baseada na edição em inglês THE ENZYME FACTOR, publicada pela Council Oak Books, Tulsa, Oklahoma, EUA, www.counciloakbooks.com

1ª edição 2010.

8ª reimpressão 2022.

Coordenação editorial: Denise de C. Rocha Delela e Roseli de S. Ferraz
Preparação de originais: Lucimara Leal da Silva
Revisão de provas: Liliane Scaramelli Cajado
Diagramação: Fama Editoração Eletrônica

Dados Internacionais de Catalogação na Publicação (CIP)
(Câmara Brasileira do Livro, SP, Brasil)

Shinya, Hiromi
A dieta do futuro : que previne cardiopatias, cura o câncer e controla o diabetes tipo 2 / Hiromi Shinya ; tradução Sonia Bidutte. — São Paulo : Cultrix, 2010.

Título original: Byoki ni naranai ikikata
ISBN 978-85-316-1068-4
1. Doenças causadas pela nutrição 2. Enzimas — Obras de divulgação 3. Nutrição — Obras de divulgação 4. Saúde — Obras de divulgação
I. Título.

10-04105 CDD-612.0151

Índices para catálogo sistemático:
1. Enzimas : Efeitos fisiológicos : Ciências médicas 612.0151

Direitos de tradução para o Brasil
adquiridos com exclusividade pela
EDITORA PENSAMENTO-CULTRIX LTDA.
Rua Dr. Mário Vicente, 368 — 04270-000 — São Paulo, SP
Fone: (11) 2066-9000 — Fax: (11) 2066-9008
E-mail: atendimento@editoracultrix.com.br
http://www.editoracultrix.com.br
que se reserva a propriedade literária desta tradução.
Foi feito o depósito legal

Sumário

Nota do editor

Para os gastroenterologistas e cirurgiões do mundo inteiro, o dr. Hiromi Shinya dispensa apresentação. Como pioneiro da cirurgia por colonoscopia (ele desenvolveu a técnica — que, na realidade, recebeu seu nome — e ajudou a projetar o colonoscópio), ele é um profissional reconhecido no mundo inteiro.

Há mais de quatro décadas, o dr. Shinya vem tratando presidentes, primeiros-ministros, astros do cinema, músicos e muitos outros pacientes famosos. De fato, ele examinou o estômago e o intestino de mais de 300 mil pessoas. Atualmente, é professor de cirurgia no Albert Einstein College of Medicine e chefe da unidade de endoscopia do Beth Israel Medical Center.

A ampla experiência obtida com milhares de pacientes, a maioria dos quais ele acompanha durante a vida, permitiu ao dr. Shinya a criação de uma abordagem à saúde baseada no estoque de uma enzima vital do organismo, que ele chama de "milagrosa". Ele acredita que essa enzima seja o segredo de uma vida longa e saudável.

A Dieta do Futuro pretende explicar o trabalho da enzima "milagrosa" e sua importância para a saúde. O dr. Shinya considera este livro o ponto alto de sua carreira, pois ele representa a oportunidade de oferecer suas descobertas a milhares de pessoas que ele nunca conseguirá tratar pessoalmente. Neste livro, ele explica com detalhes o estilo de vida que pode melhorar a saúde das pessoas e por que esse estilo é tão eficaz.

Nascido no Japão e trabalhando metade do ano em Tóquio, o dr. Shinya incorpora ao seu trabalho sobre saúde humana tanto as perspectivas da medicina oriental como as da medicina ocidental. Este livro foi escrito primeiro em japonês. A versão japonesa foi um grande sucesso e vendeu mais de dois milhões de exemplares em apenas alguns meses. Assim como o dr. Hiromi Shinya, esperamos que este livro lhe sirva de guia para uma vida feliz e saudável.

Prólogo

Quando a Segunda Guerra terminou, eu era adolescente e assisti à transformação que a tecnologia norte-americana promoveu em minha terra natal. Meu sonho era estudar medicina na América. Em 1963, concluí meu curso de medicina no Japão, mudei-me para os Estados Unidos com minha jovem esposa para iniciar meu curso de residência médica no Beth Israel Medical Center de Nova York.

Vindo de um país estrangeiro, ao chegar aos Estados Unidos compreendi que teria de trabalhar muito para ser um cirurgião respeitado naquele país. Quando criança eu estudara artes marciais e graças a esse treinamento aprendi a usar muito bem as duas mãos. A ambidestria me possibilitou realizar cirurgias com rara eficiência.

Durante o curso de residência fui assistente do dr. Leon Ginsburg, um dos descobridores (juntamente com o dr. Burrill Bernard Crohn e o dr. Gordon Oppenheimer) da doença de Crohn. Um dia o chefe dos residentes e o residente mais antigo que normalmente assistiam o dr. Ginsburg não puderam ajudar na sala de cirurgia, e a enfermeira do dr. Ginsburg, que já conhecia meu trabalho, recomendou-me. Sendo ambidestro, terminei a cirurgia rapidamente. Primeiro, o dr. Ginsburg ficou muito irritado porque não acreditou que eu pudesse ter terminado em tão pouco tempo e ter feito tudo certo. Mas, ao verificar que o paciente tinha se recuperado tão bem sem a hemorragia excessiva e sem o inchaço que costumam ocorrer depois de uma cirurgia longa, ele ficou impressionado. Comecei a trabalhar com ele regularmente.

Nem minha esposa, nem eu, nem nossa filhinha nos dávamos bem nos Estados Unidos. Minha esposa passava a maior parte do tempo doente. Fraca, ela não conseguia amamentar, e nossa filha era alimentada com leite de vaca. Eu trabalhava o dia todo no hospital e quando chegava em casa ajudava minha esposa que estava novamente grávida. Eu trocava fraldas e dava mamadeira à minha filha, mas ela chorava muito porque tinha uma urticária muito intensa. Ela coçava-se muito e estava num estado lastimável.

Aí, então, nasceu meu filho. Sua chegada foi uma alegria, mas logo surgiu uma hemorragia retal. Naquela época, eu tinha adquirido o primeiro colonoscópio e examinei meu filhinho. Encontrei uma inflamação no cólon e uma colite ulcerativa.

Fiquei arrasado. Ali estava eu, um médico que não conseguia curar sua jovem e bonita esposa, e nem aliviar o sofrimento de seus filhos. Eu não aprendera nada na faculdade de medicina que pudesse explicar a causa da doença deles. Consultei outros médicos, os melhores que eu conhecia, mas nenhum conseguia me ajudar. Ser um bom cirurgião ou dar remédios para os sintomas não era o suficiente. Eu queria saber o que causava a doença.

No Japão, eu nunca tinha visto o tipo de dermatite atrófica que minha filha tinha, por isso, comecei a investigar o que havia nos Estados Unidos que pudesse causar esses sintomas. No Japão, nós não tínhamos muitos derivados do leite, portanto pensei que pudesse ser o leite de vaca que ela mamava. Quando retiramos o leite, ela melhorou rapidamente e eu percebi que ela era alérgica a leite de vaca. Ela não conseguia digeri-lo, e as partículas não digeridas, que eram pequenas o suficiente para passar do intestino para o sangue, eram atacadas pelo seu sistema imunológico como se fossem invasores. A mesma coisa acontecia com meu filho. Quando paramos de alimentá-lo com leite, a colite desapareceu.

A doença de minha esposa logo foi diagnosticada como lúpus. Os valores de seu hemograma caíam, e ela ficava pálida e anêmica. Ela entrava e saía do hospital enquanto lutávamos para salvar-lhe a vida. Morreu antes que eu soubesse o suficiente para ajudá-la.

Até hoje, eu ainda não sei o que causou o seu lúpus, mas sei que ela era geneticamente predisposta a reações exageradas do sistema imunológico. Ela foi interna de uma escola-convento ocidentalizada no Japão onde consumia muito leite. Não há dúvidas de que era alérgica a leite, pois mais tarde seus dois filhos também eram. Exposta continuamente a um alimento que gerava uma reação alérgica, seu sistema imunológico deve ter se esgotado, deixando-a suscetível à doença autoimune do lúpus.

Com essas experiências, comecei a compreender o quanto a alimentação é importante para nossa saúde. Isso foi há mais de cinquenta anos e depois disso registrei a história alimentar e examinei o estômago e o cólon de mais de 300 mil pacientes. Passei minha vida tentando compreender o organismo humano, a saúde e a doença. Comecei pela doença — suas causas e tratamentos —, mas, assim que comecei a compreender melhor o trabalho do corpo como um todo, mudei minha maneira de tratar as doenças.

Vi que nós, médicos, e nossos pacientes devemos empregar mais tempo na compreensão da saúde do que na luta com a doença.

Nascemos com o direito à saúde; é natural ser saudável. Depois de começar a compreender a saúde, fui capaz de trabalhar com o corpo, ajudando-o a livrar-se sozinho da doença. Apenas o corpo tem a capacidade de curar-se. Como médico, crio um meio para que a cura aconteça.

Assim, comecei tentando compreender a doença, mas minha pesquisa acabou me levando para o que eu acreditava ser a chave da saúde. Essa chave é a enzima milagrosa do nosso próprio organismo.

O organismo humano tem mais de 5 mil enzimas que geram, talvez, 25 mil reações diferentes. Pode-se dizer que toda ação do organismo é controlada por enzimas, porém sabemos muito pouco sobre elas. Acredito que criamos essas enzimas a partir de uma enzima-fonte, que é mais ou menos finita em nosso corpo. Se essas enzimas-fonte se esgotarem, não haverá um número suficiente delas para reparar as células de maneira adequada, o que com o tempo possibilitará o desenvolvimento de câncer e outras doenças degenerativas.

Em suma, esse é o fator enzimático.

Quando ajudo meus pacientes com câncer de cólon a se curar, primeiramente removo o câncer e depois os coloco em uma dieta rígida de alimentos não tóxicos e ricos em enzima e água, para que eles tenham mais enzimas-fonte para reparar as células do organismo. Não acredito no uso de medicamentos fortes que desafiam o sistema imunológico, pois acho que o câncer de cólon não acontece por acidente, de maneira isolada. O câncer de cólon é um alerta de que todo o suprimento de enzima-fonte está se esgotando e não consegue mais reparar as células adequadamente.

Ao mesmo tempo em que acredito que nascemos com um suprimento limitado dessa enzima-fonte e que não devemos gastá-lo com má alimentação, toxinas, eliminação deficiente e stress, compreendi outra coisa. Essa outra coisa é o motivo pelo qual chamo essa enzima-fonte de enzima "milagrosa". Tenho testemunhado várias curas espontâneas e remissões de todos os tipos de doença. Ao estudar essas curas, comecei a compreender como esses milagres acontecem.

Descobrimos o DNA, mas não sabemos realmente muita coisa sobre ele. Há um enorme potencial latente em nosso DNA que ainda não compreendemos. Minha pesquisa indica que explosões emocionais positivas, como as que surgem do amor, da risada, e da alegria, podem estimular nosso DNA a produzir uma enxurrada de enzimas-fonte — a enzima milagrosa que age como biocatalisador da recuperação das células. Alegria e amor podem acordar um potencial muito além do conhecimento humano atual.

Neste livro, direi a você o que fazer no dia a dia, o que comer e que suplementos e enzimas tomar para ajudar suas enzimas milagrosas e sua saúde. Entretanto, a coisa mais importante que posso lhe dizer para viver uma vida longa e saudável é fazer o que o deixa feliz (mesmo que isso signifique não seguir, às vezes, minhas outras recomendações).

Ouça música. Faça amor. Divirta-se. Curta os pequenos prazeres. Viva a vida com paixão. Lembre-se de que uma vida feliz e cheia de significados é o caminho natural para a saúde. O entusiasmo, e não a perfeita adesão ao regime alimentar, é a chave da eficácia do fator enzimático para você.

Dr. Hiromi Shinya

INTRODUÇÃO

O fator enzimático — a chave do código da vida

O corpo tem uma capacidade espantosa de autocura.

Na verdade, o corpo é o único sistema de cura que pode restaurar seu equilíbrio em caso de doença. O medicamento pode servir de apoio em uma emergência, a cirurgia pode ser necessária em determinadas circunstâncias, mas somente o corpo tem a capacidade de curar.

Tenho visto essa verdade sobre a cura incontáveis vezes ao longo de minha vida profissional. Há 35 anos, tornei-me a primeira pessoa do mundo a remover com sucesso um pólipo por meio do colonoscópio, sem a necessidade de uma incisão na parede abdominal. Na ocasião, foi um acontecimento importante porque consegui remover o pólipo sem abrir o abdome, evitando, assim, os efeitos colaterais que podem advir de cirurgias abertas. Como eu era o único médico que dominava essa técnica naquela época, de repente passei a ser muito requisitado. Nesse período, apenas nos Estados Unidos, mais de 10 milhões de pessoas necessitavam de exames do cólon, e muitas precisavam submeter-se à remoção de pólipos. Começaram a chegar pacientes de toda parte em busca desse procedimento não invasivo. Assim, com trinta e poucos anos tornei-me o chefe da unidade de endoscopia do Beth Israel Medical Center de Nova York, trabalhando de manhã no hospital e à tarde em meu consultório particular, examinando pacientes de manhã à noite. Em várias décadas atuando como gastroenterologista e endoscopista, examinei centenas de milhares de pessoas e aprendi que, quando o trato gastrintestinal está limpo, o organismo consegue facilmente combater qualquer tipo de doença. Por outro lado, quando o trato gastrintestinal não está limpo, o organismo fica propenso a vários tipos de doenças.

Em outras palavras: a pessoa que tem boas características gastrintestinais é mental e fisicamente saudável, mas a pessoa com características gastrintestinais ruins normalmente tem problema mental ou físico. Do mesmo modo, a pessoa saudável tem características gastrintestinais boas, e a que não é saudável tem características gastrintestinais ruins. Obviamente, então, as boas características estomacais e intestinais estão diretamente relacionadas à saúde de maneira geral.

O que, especificamente, é preciso fazer (ou evitar) para preservar as boas características estomacais e intestinais? Para obter essa resposta, durante anos pedi a meus pacientes que respondessem a um questionário sobre seus hábitos alimentares e outros aspectos do seu estilo de vida. Graças às respostas desses questionários, descobri uma forte relação entre saúde, alimentação e estilo de vida.

O que estou prestes a apresentar neste livro é a minha teoria de como viver uma vida longa e saudável, com base em dados que reuni durante décadas em minha vida profissional. Esses dados sugerem que o corpo e suas inúmeras funções podem ser compreendidos por meio de uma chave.

ESSA CHAVE — A CHAVE PARA UMA VIDA LONGA E SAUDÁVEL — PODE SER RESUMIDA EM UMA ÚNICA PALAVRA: *ENZIMAS.*

Enzima é o nome genérico de um catalisador de proteína produzido no interior das células de organismos vivos. Onde existe vida, seja no reino animal ou vegetal, existe enzima. Elas participam de todas as ações necessárias para a conservação da vida, como síntese e decomposição, transporte, excreção, desintoxicação e suprimento de energia. Os organismos vivos não conseguiriam viver sem as enzimas.

As células do nosso corpo produzem mais de 5 mil espécies de enzimas vitais, mas elas também podem ser produzidas a partir das enzimas contidas nos alimentos que consumimos diariamente. A razão da existência de tantos tipos de enzima é que cada uma delas tem uma característica específica e desempenha uma função única. Por exemplo, a amilase, uma enzima digestiva encontrada na saliva, age somente sobre os carboidratos. As gorduras e proteínas também são digeridas por suas próprias enzimas.

Embora se acredite que muitos tipos de enzima sejam criados em resposta às necessidades do organismo, ainda não está claro o *modo* como elas são produzidas nas células. Tenho uma teoria que pode ajudar a esclarecer esse processo. Acredito na existência de uma enzima-fonte — um protótipo de enzima não especializada. Antes de ser convertida em determinada enzima para atender a uma necessidade específica, a enzima-fonte pode transformar-se em *qualquer* tipo de enzima.

Essa teoria, desenvolvida com base em minha observação ao longo dos anos, é a seguinte: a saúde depende da conservação — e não do esgotamento — das enzimas-fonte do organismo. Eu uso o termo "enzima-fonte" para essas catalisadoras, porque, em minha opinião, elas são enzimas não especializadas que dão origem a mais de 5 mil enzimas especializadas que exercem várias funções no corpo humano. Também as chamo de enzimas "milagrosas", pois elas desempenham um papel essencial na capacidade de autocura do corpo.

Comecei a desenvolver o conceito de enzima-fonte ao observar que, quando determinada área do corpo precisa e, portanto, consome grande quantidade de um tipo específico de enzima, outras partes ficam com carência das enzimas de que necessitam. Por exemplo, a ingestão de uma grande quantidade de álcool requer uma quantidade acima do normal da enzima responsável pela degradação do álcool no fígado, gerando um déficit das enzimas necessárias à digestão e absorção no estômago e no intestino.

Parece que não há uma quantidade estabelecida de cada um dos milhares de tipos de enzima existentes, em vez disso, a enzima-fonte se converte em um tipo específico de acordo com a necessidade.

Atualmente, as enzimas estão atraindo a atenção do mundo todo como elemento essencial no controle da saúde e, embora ainda estejam sendo realizadas pesquisas nessa área, existem muitas coisas que ainda não compreendemos. O dr. Edward Howell, pioneiro no estudo das enzimas, propôs uma teoria realmente interessante. Segundo essa teoria, existe um número predeterminado de enzimas que um organismo vivo pode produzir durante a vida. O dr. Howell chamou esse número fixo de enzimas de "potencial enzimático". Quando esse potencial se esgota, a vida cessa.

A teoria do dr. Howell não difere muito da minha teoria de enzimas-fonte e, dependendo do rumo que as pesquisas tomem, acredito que a existência da enzima-fonte será confirmada. Embora os estudos sobre esse assunto estejam em fase de desenvolvimento e a enzima-fonte ainda seja apenas uma teoria, existem inúmeras evidências clínicas de que podemos fortalecer bastante nossas características gastrintestinais — e consequentemente a nossa saúde — consumindo alimentos ricos em enzimas e adotando um estilo de vida que não esgote a enzima-fonte.

O estilo de vida saudável que recomendo neste livro consiste em sugestões que tenho feito aos meus pacientes há anos. Vi muitos pacientes ficarem curados depois de seguirem essas recomendações. Você ficará surpreso com algumas sugestões que parecem contrariar os atuais conhecimentos sobre saúde e alimentação. Garanto que tudo o que você vai encontrar neste livro foi testado. Somente depois de confirmar a segurança desse estilo de vida, passei a recomendá-lo aos meus pacientes — com resultados extraordinários.

Eu mesmo adoto esse estilo de vida saudável, e em todos esses anos de atividade profissional, não fiquei doente nenhuma vez. A primeira e única vez em que fui tratado por um médico foi aos 19 anos, quando tive uma gripe. Hoje, na faixa dos 70 anos de idade ainda exerço minha profissão nos Estados Unidos e no Japão. Embora a medicina seja um grande desafio, tanto físico como mental, tenho conseguido conservar a saúde seguindo o que recomendo neste livro.

Depois de ter constatado por experiência própria os efeitos positivos desse estilo de vida, passei a recomendá-lo aos meus pacientes, que têm obtido resultados maravilhosos. Por exemplo, a taxa de recidiva de câncer entre eles caiu para zero.

Embora a medicina moderna muitas vezes trate o corpo humano como se fosse uma máquina composta por peças independentes, ele é, na verdade, uma unidade em que tudo está interligado. Por exemplo, os efeitos de uma única cárie não tratada serão sentidos em todo o corpo. Da mesma maneira, o alimento que não é suficientemente mastigado sobrecarrega o estômago e o intestino, produzindo indigestão, bloqueando a absorção de nutrientes vitais e causando uma infinidade de problemas em todo o organismo. Não é raro que um probleminha, à primeira vista insignificante, acabe se transformando em uma doença grave.

A saúde depende de várias ações que realizamos todos os dias — comer, beber, fazer exercícios, descansar, dormir e manter a mente sã. Se houver um problema em qualquer uma dessas áreas, todo o corpo será afetado. Por causa das complexas interligações que ocorrem no interior do corpo humano, acredito que as enzimas-fonte tenham a função de manter a homeostase — o equilíbrio necessário a uma vida saudável.

Infelizmente, a sociedade moderna está repleta de fatores que consomem nossas preciosas enzimas-fonte. Álcool, tabaco, drogas, aditivos alimentares, agrotóxicos, poluição ambiental, ondas eletromagnéticas e stress emocional são alguns dos fatores que esgotam essas enzimas. Para manter-se saudável nos dias de hoje, é essencial compreender os mecanismos do corpo e zelar pela própria saúde.

Felizmente, nada disso é difícil de fazer. Uma vez compreendidas as causas do esgotamento dessas enzimas-fonte e a maneira de fazer a sua reposição, bastará um pequeno esforço diário para ficar *livre de doenças por toda a vida*.

O velho ditado precisa ser atualizado: Em vez de "Coma, beba e seja feliz, pois a vida é curta", eu sugiro que você coma e beba com sabedoria, e tenha uma vida longa e feliz. Quero mostrar-lhe como fazer isso.

CAPÍTULO 1

As enzimas e a sua saúde — conceitos errôneos e verdades essenciais

Quarenta anos se passaram desde que me tornei especialista em endoscopia gastrintestinal. Naquela época, eu trabalhava atentamente com meus pacientes para descobrir como levar uma vida saudável. Como médico, eu acreditava piamente que não importava o quanto um médico tentasse, ele não conseguiria preservar a saúde de um paciente somente fazendo check-up e tratando doenças. A saúde de longo prazo é o resultado de atitudes e hábitos saudáveis. Melhorar o estilo de vida diário é fundamentalmente mais importante do que contar com a eficácia de cirurgias ou medicamentos.

A alimentação e o estilo de vida apresentados neste livro conseguem gerar resultados clínicos de *0% de recidiva de câncer.*

Repetindo: *nenhum* dos meus pacientes teve de enfrentar o câncer novamente. Por quê? Porque eles levaram seus problemas de saúde a sério, acreditaram que poderiam ajudar o corpo a se curar e incorporaram ao seu cotidiano meu estilo de vida e alimentação. Este é o estilo de vida saudável que este livro ensinará, um conjunto simples de novos hábitos que lhe permitirá gozar de boa saúde até uma idade muito avançada.

Munido do conhecimento destas páginas, caberá a você decidir entre a doença e a saúde. No passado, as pessoas pensavam que podiam e deviam ser curadas somente por médicos e medicamentos. Os pacientes eram passivos e simplesmente seguiam as instruções e as prescrições dos médicos. Entretanto, estamos vivendo uma era em que devemos assumir a responsabilidade por nossa saúde.

Todos nós esperamos nunca ficar doentes — e, quando ficamos, esperamos melhorar rapidamente. Talvez você ache isso impossível, mas eu lhe asseguro que não é. Minha proposta é um modo de vida que lhe permitirá viver todo o tempo que tiver de viver sem nunca mais ficar doente.

Obviamente que, para isso, será preciso uma mudança radical nos hábitos alimentares e no estilo de vida que você teve até agora. Não deixe que as exigências da sua vida atual o façam desistir das minhas sugestões. Leia-as com a mente aberta. Acredito firmemente que ao terminar a leitura deste livro, você estará se sentindo motivado a fazer as mudanças.

Quando as pessoas adoecem, elas sempre se perguntam por que ficaram doentes. A doença não é um teste ou uma punição imposta por Deus. Na maioria dos casos, ela não é predeterminada pela genética. Ao contrário, quase todas as doenças são resultado de hábitos acumulados ao longo do tempo.

É POSSÍVEL CHEGAR AOS 100 ANOS COM SAÚDE

Você se considera uma pessoa saudável? Não são muitas as pessoas que podem responder a essa pergunta com um "sim" sem nenhuma restrição. Não são muitas, eu acho, porque não estar doente não é o mesmo que ter saúde. Na medicina oriental, existe um termo, "doença latente", que representa uma situação em que a pessoa não está doente, mas também não está completamente saudável. Em outras palavras, a pessoa está a um passo de ficar doente. Muitos norte-americanos, atualmente, estão nessa situação.

Mesmo as pessoas que se consideram saudáveis são frequentemente perturbadas por problemas, como diarreia, prisão de ventre crônica, insônia, torcicolo e ombros enrijecidos. Esses sintomas são pedidos de socorro do organismo. E se você os ameniza dizendo: "Isso é normal para mim" ou "Estou sempre assim", está correndo o risco de que essa situação se transforme em doença grave.

A expectativa média de vida nos Estados Unidos aumentou de forma surpreendente de 47 anos, em 1900, para quase 78, em 2006. Como a humanidade em geral tem interesse em viver mais, seria possível dizer que essa é uma tendência bastante positiva.

Entretanto, os números de expectativa média de vida não deveriam nos deixar orgulhosos, pois eles não refletem com precisão o verdadeiro estado de saúde das pessoas. Por exemplo, uma pessoa com 100 anos de idade, que leva uma vida saudável, e uma pessoa com 100 anos, que está doente e presa a uma cama, têm o mesmo peso nas médias de expectativa de vida. Ambas têm exatamente a mesma idade, mas não desfrutam da mesma qualidade de vida. Se você não for saudável, não fará bom uso da última parte de sua vida longa. Pouquíssimas pessoas gostariam de ter uma vida longa presas a uma cama ou sofrendo. Somente quando estão realmente em boas condições de saúde é que as pessoas querem viver mais.

Tente lembrar-se da aparência de um parente idoso ou de uma pessoa próxima a você. Observando a saúde dessa pessoa, você ficaria satisfeito se chegasse àquela idade nas mesmas condições? Infelizmente, muitos responderiam "não".

À medida que as pessoas ficam mais velhas, mesmo as mais saudáveis, o organismo se deteriora. Entretanto, doença e declínio natural do corpo são coisas totalmente diferentes. Minha mãe, que adota essa alimentação e esse estilo de vida há muitos anos, é saudável e ativa aos 96 anos de idade.

O que causa a doença nos idosos?

A diferença entre um centenário saudável e uma pessoa presa ao leito não é a idade. É a diferença entre os hábitos alimentares e o estilo de vida acumulado ao longo daquele século. Em resumo, a saúde ou a doença está relacionada ao que a pessoa come e ao modo como ela vive o seu dia a dia. O que determina o seu estado de saúde é a soma diária de fatores, como alimentação, água, exercício, sono, trabalho e stress.

Se essa é a questão, então a pergunta é: Que tipo de vida devemos levar para ter uma vida longa *e saudável*?

Atualmente, os produtos do setor de condicionamento físico e saúde detêm uma grande fatia do mercado, abarrotando as prateleiras das lojas. Muitas pessoas compram suplementos alimentares porque, de acordo com o rótulo, o consumo diário de um único remédio poderá acabar com todos os seus problemas de saúde. Além disso, quando os comerciais de televisão ou de revistas anunciam que "o produto xx faz bem à saúde", no dia seguinte o produto está esgotado no mercado. Isso significa que a maioria das pessoas não sabe o que realmente faz bem ao seu corpo e é facilmente manipulada pela mídia.

CONCEPÇÕES ERRÔNEAS SOBRE ALIMENTAÇÃO

Quando você pensa em preservar a saúde, pensa em alguma coisa especificamente? Você acha que deve fazer exercícios regularmente, alimentar-se de modo adequado e tomar suplementos e produtos fitoterápicos?

Minha intenção não é criticar seus hábitos alimentares e seu estilo de vida atual, mas recomendo que, ao menos uma vez por dia, você mesmo verifique seu estado de saúde e reflita se seus hábitos alimentares e seu estilo de vida são verdadeiramente eficazes.

A razão pela qual digo isso é porque muitos produtos, geralmente considerados "bons para a saúde", na verdade contêm coisas que podem causar danos ao organismo.

MITOS COMUNS SOBRE ALIMENTAÇÃO

- Tomar iogurte diariamente para melhorar a digestão.
- Beber leite diariamente para impedir a deficiência de cálcio.

- Ingerir suplementos diários de vitamina em vez de frutas, pois as frutas contêm grande quantidade de calorias e carboidratos.
- Evitar o consumo de carboidratos, como arroz e pão, para não engordar.
- Fazer uma alimentação rica em proteína.
- Beber líquidos, como chá-verde, ricos em antioxidantes.
- Ferver a água da torneira antes de beber para remover os resíduos de cloro.

Na verdade, não conheço ninguém que tome iogurte todos os dias e ainda assim tenha o intestino saudável. Muitos norte-americanos consomem leite e seus derivados diariamente desde crianças, mas muitos sofrem de osteoporose, que supostamente seria evitada pelo cálcio do leite. Como médico nipo-americano, trato meus pacientes de Tóquio durante vários meses do ano e observo que os japoneses que bebem chá rico em antioxidantes regularmente têm problemas de estômago. Os instrutores de chá, por exemplo, que ingerem grandes quantidades de chá-verde como parte do seu trabalho, frequentemente têm gastrite atrófica, precursora do câncer de estômago.

Lembre-se do que mais de 300 mil observações clínicas me ensinaram: quem tem problemas gastrintestinais nunca é saudável.

Então, por que são consideradas benéficas à saúde coisas que causam danos ao estômago e ao intestino? Em boa parte porque as pessoas tendem a ver apenas um aspecto, ou efeito, de determinado alimento ou bebida, em vez de ver o quadro como um todo.

Consideremos o chá-verde como exemplo. Não há nenhuma dúvida de que o chá-verde, rico em antioxidantes, pode matar bactérias e exercer efeitos antioxidantes positivos. Assim, existe uma crença amplamente disseminada de que beber grandes quantidades de chá-verde japonês prolonga a vida e pode ajudar a prevenir o câncer. Entretanto, sempre tive dúvidas sobre esse "mito antioxidante". Na verdade, meus dados clínicos contrariam essa crença. Examinando pacientes, descobri que as pessoas que bebem grandes quantidades de chá-verde têm problemas de estômago.

É verdade que os antioxidantes encontrados no chá são um tipo de polifenol que evita ou neutraliza o efeito danoso dos radicais livres. No entanto, quando vários desses antioxidantes se juntam, transformam-se em uma substância chamada tanino.

O tanino confere a determinadas plantas e frutas um sabor adstringente. A sensação de adstringência ou "aperto" típico do caqui, por exemplo, é causada pelo tanino. O tanino oxida com facilidade e, dependendo de sua exposição à água quente ou ao ar, pode facilmente transformar-se em ácido tânico. Além disso, o ácido tânico coagula proteínas. Minha teoria é que o chá que contém ácido tânico exerce efeito negativo sobre a mucosa gástrica — mucosa que reveste o estômago — causando problemas de estômago, como úlceras.

O fato é que, sempre que eu uso um endoscópio para examinar o estômago de pessoas que regularmente consomem chá (chá-verde, chá chinês, chá-preto inglês) ou café com alto teor de ácido tânico, em geral encontro a mucosa gástrica bastante adelgaçada por causa das alterações atróficas. Esse revestimento tão importante do estômago fica literalmente desgastado. Sabe-se que alterações atróficas crônicas ou gastrite crônica podem facilmente transformar-se em câncer de estômago.

Não sou o único médico que observou os efeitos nocivos do consumo de café e chá. No Congresso Japonês de Câncer em setembro de 2003, o professor Masayuki Kawanishi da Escola de Higiene da Universidade de Mie apresentou um relatório afirmando que *os antioxidantes podem causar danos ao DNA*. Além do mais, muitos tipos de chá vendidos hoje em supermercados são cultivados com o uso de agrotóxicos.

A análise dos efeitos do ácido tânico, dos resíduos de agrotóxicos e da cafeína justifica plenamente a minha recomendação enfática de ingerir água pura em vez de chá. Entretanto, para os que gostam de chá e não conseguem deixar de consumi-lo, recomendo que usem folhas cultivadas organicamente, que bebam depois das refeições para não sobrecarregar o revestimento do estômago vazio, e que se restrinjam a duas ou três xícaras diárias.

Muitas pessoas se deixam levar por crenças errôneas em relação à saúde porque a medicina de hoje não olha o corpo humano como um todo. Há muitos anos, existe uma tendência de especialização médica de observar e tratar apenas uma parte do corpo. Do mesmo modo, não podemos analisar a floresta pelas árvores. O corpo humano está todo interligado. Não é porque um componente de determinado alimento ajuda no funcionamento de uma parte do organismo que ele faz bem ao organismo todo. A escolha do que comer e beber deve levar em conta o todo. Não é possível saber se um alimento faz bem ou não se tomarmos por base apenas um de seus componentes.

COMER CARNE VERMELHA NÃO LHE DARÁ VIGOR

Em 1977, foi publicado nos Estados Unidos um relatório bastante interessante sobre alimentação e saúde — o Relatório McGovern.

A publicação desse documento deveu-se a um problema iminente com os custos relativos à saúde, que estavam exercendo enorme pressão na economia do país. Apesar dos avanços na medicina, o número de pessoas doentes, especialmente portadoras de câncer e de cardiopatias, continuava crescendo a cada ano. Estava claro que se, de alguma maneira, a causa da doença não fosse detectada e não houvesse uma política de combate a essa tendência, a situação poderia ficar financeiramente insustentável. Diante da crise iminente, foi criada uma comissão no Senado presidida pelo senador George S. McGovern.

Com o auxílio dos melhores médicos e nutricionistas da época, os membros da comissão coletaram dados de alimentação e saúde do mundo todo e estudaram as causas do aumento das doenças. Os resultados e os dados foram compilados nas 5 mil páginas do Relatório McGovern.

Como o relatório concluiu que muitas doenças eram causadas por maus hábitos alimentares, a sua publicação forçou os norte-americanos a tomar uma importante decisão. Eles só se tornariam saudáveis se mudassem seus hábitos alimentares.

Naquela época, era muito comum nos Estados Unidos uma alimentação com alto teor de proteína e gordura, a ingestão de bifes grossos ou hambúrgueres gordurosos no jantar. As proteínas são realmente valiosas porque constituem o elemento básico para a construção do corpo. Por essa razão, pensava-se que a ingestão de alimentos ricos em proteína animal fizesse bem não só para atletas e crianças como também para pessoas fisicamente debilitadas e idosas. Mesmo no Japão, a ideia profundamente enraizada de que "a carne é fonte de vigor" foi influenciada pelos hábitos alimentares dos norte-americanos.

O Relatório McGovern não só refutou essa crença popular como também considerou ideal a alimentação do "Período Genroku" do Japão (1688-1703), que consistia em cereais, como prato principal, acompanhados de verduras e legumes da estação, vegetais marinhos e pequenas quantidades de peixe por causa da proteína. Foi por isso que os benefícios à saúde da comida japonesa começaram a atrair a atenção do mundo.

A crença de que os músculos não se desenvolvem sem a ingestão de carne vermelha mostrou-se infundada. Para comprovar isso, basta observar a natureza. Seria possível pensar que, sendo carnívoros, os leões teriam músculos extraordinários. Entretanto, na realidade, os herbívoros, como cavalos e veados, têm os músculos muito mais desenvolvidos do que os leões. A prova disso é que os leões e os tigres não têm energia suficiente para perseguir sua presa por período prolongado. Em vez disso, eles agem com rapidez e usam sua velocidade para agarrar e matar a presa o mais rápido possível. Eles agem assim porque sabem que, quando se trata de resistência, não são páreo para os músculos mais desenvolvidos dos herbívoros.

Também não é verdade quando nos dizem que não vamos crescer se não comermos carne. A altura das girafas e dos elefantes, que são herbívoros, é várias vezes superior à dos leões e tigres.

A ingestão de carne vermelha realmente acelera o crescimento, e a rapidez do crescimento e do amadurecimento das crianças nas últimas décadas pode ser atribuída ao aumento da ingestão de proteína animal. No entanto, existe uma perigosa armadilha na ingestão de carne vermelha. Depois de atingir determinada idade, o crescimento do corpo transforma-se em um fenômeno chamado envelhecimento. A ingestão de carne pode acelerar o crescimento, mas acelera também o processo de envelhecimento.

Talvez você não esteja disposto a deixar de comer carne. Isso não muda o fato de que ela faz mal à saúde e acelera o processo de envelhecimento. Antes de fechar sua mente (e este livro), leia o texto a seguir.

SEIS RAZÕES PELAS QUAIS A ALIMENTAÇÃO COM ALTO TEOR DE PROTEÍNA PREJUDICA A SAÚDE

1. As toxinas da carne vermelha criam células cancerígenas.

Toda célula contém um DNA (ácido desoxirribonucleico), substância química que carrega o mapa do corpo e de suas funções. Os resíduos tóxicos do excesso de gordura animal e da digestão de proteína podem causar danos ao DNA, transformando as células em cancerosas. Essas células começam a se multiplicar por conta própria. O sangue contém glóbulos vermelhos, glóbulos brancos e linfócitos. Os glóbulos brancos e os linfócitos atacam inimigos, como bactérias e vírus, destruindo-os ou tornando-os inofensivos. Quando essas células são danificadas, esse mecanismo de defesa de primeira linha do organismo passa a funcionar mal, o que pode resultar em infecção e aparecimento de células defeituosas ou cancerosas.

2. As proteínas causam reações alérgicas.

As proteínas que não foram decompostas em nutrientes entram na corrente sanguínea como substâncias estranhas através da parede dos intestinos. Isso acontece quase sempre com crianças pequenas. O corpo reage como se as proteínas fossem uma substância estranha, criando uma reação alérgica. Esse tipo de alergia é mais comumente causado pelo leite e pelo ovo. A ingestão excessiva de proteína animal e as consequentes reações alérgicas são a causa do aumento da incidência de dermatite atópica, urticária, doenças do colágeno, colite ulcerativa e doença de Crohn.

3. **O excesso de proteína sobrecarrega o fígado e os rins.**

   As proteínas do corpo são decompostas e, depois, eliminadas por meio da urina, sobrecarregando, assim, o fígado e os rins.

4. **A ingestão excessiva de proteína causa deficiência de cálcio e osteoporose.**

   Quando grandes quantidades de aminoácidos são geradas, o sangue torna-se ácido e precisa de cálcio para neutralizar essa acidez, resultando na perda desse elemento. O sangue precisa manter a proporção de cálcio e fósforo entre 1:1 e 1:2, e a alimentação com alto teor de fósforo obriga o organismo a retirar cálcio dos dentes e dos ossos para manter essa proporção. Além disso, quando há grandes quantidades de cálcio e fósforo no organismo, eles se ligam para produzir o fosfato de cálcio. Como não consegue absorver esse composto, o corpo o elimina, aumentando ainda mais a perda de cálcio e a suscetibilidade à osteoporose. É por isso que muitas pessoas de países com alimentação rica em proteína animal sofrem de osteoporose: ossos porosos resultam do esgotamento de cálcio.

5. **O excesso de proteína pode resultar em falta de energia.**

   A digestão dos alimentos requer uma grande quantidade de energia. O excesso de proteína não é totalmente metabolizado e, por isso, não é absorvido. Essa proteína não decomposta entra em estado de putrefação nos intestinos, criando resíduos tóxicos. Para realizar a desintoxicação causada por essas substâncias, o organismo precisa de uma grande quantidade de energia. O uso excessivo de energia gera um grande número de radicais livres, que são os responsáveis pelo processo de envelhecimento, além de câncer, cardiopatias e aterosclerose.

6. **O excesso de proteína pode contribuir para o transtorno do déficit de atenção e hiperatividade em crianças.**

   Os estudos mais recentes mostram um aumento de crianças com transtorno de déficit de atenção e propensas a explosões de raiva. A alimentação e a nutrição podem exercer um impacto significativo sobre o comportamento e a adaptabilidade social das crianças. Cada vez mais, elas tendem a consumir, em casa e na escola, grandes quantidades de alimentos processados. Esses alimentos não só contêm vários aditivos, como também tornam o organismo ácido. A proteína animal e o açúcar refinado são consumidos em quantidades cada vez maiores, enquanto as verduras e os legumes são evitados. A proteína animal e o açúcar demandam maiores quantidades de cálcio e magnésio, o que provoca deficiência de cálcio. Essa deficiência estimula o sistema nervoso, contribuindo para o nervosismo e a irritabilidade.

O QUE O ESTÔMAGO E O INTESTINO PODEM NOS DIZER

No Japão, existe o conceito de que é literalmente possível ler no rosto de uma pessoa sua qualidade de vida. Nos Estados Unidos, há um ditado que afirma, "Está estampado no seu rosto". Assim como o rosto de uma pessoa pode revelar suas experiências e o seu estado de espírito, o estômago e o intestino também podem revelar a condição de saúde das pessoas.

Os órgãos do sistema gastrintestinal de uma pessoa saudável têm uma aparência limpa. A mucosa do estômago saudável é uniformemente rósea, sem nenhuma protuberância ou irregularidade na superfície, e os vasos sanguíneos abaixo da mucosa não são visíveis. Além disso, como a mucosa do estômago saudável é transparente, ela brilha ao refletir a luz do endoscópio. O intestino saudável é róseo, extremamente macio e tem grandes dobras uniformes.

O sistema gastrintestinal das crianças apresenta essa coloração, que pode mudar dependendo de seus hábitos alimentares e de seu estilo de vida.

O estômago doente apresenta manchas e, em determinadas áreas, assume um aspecto avermelhado e inchado. Além disso, quando a mucosa gástrica desenvolve inflamação crônica ou aguda, o que é comum entre norte-americanos e japoneses, o revestimento do estômago afina e os vasos sanguíneos sob a mucosa ficam visíveis.

Ademais, quando a mucosa gástrica começa a se atrofiar ou a encolher, as células da superfície tentam compensar multiplicando-se em determinadas áreas, fazendo com que a parede gástrica fique irregular. Daí para o câncer é apenas um passo. Em intestinos doentes, os músculos da parede intestinal tornam-se espessos e rígidos e formam-se dobras irregulares como se fossem amarradas por um elástico, causando constrições em determinadas áreas.

Pessoas com "doença latente" e que ainda não sentem dor nem apresentam manifestações físicas têm pouca motivação para cortar o consumo de carne vermelha. É provável que poucos norte-americanos deem atenção aos meus conselhos. Por quê? Porque não conseguem ficar sem comer carne. As pressões sociais são grandes demais. Talvez a carne tenha sido a base da alimentação dessas pessoas, e elas não saibam o que comer em seu lugar. Entretanto, também não sabem como está o seu corpo por dentro.

Quando a parte externa do corpo começa a mostrar alterações físicas, tendemos a levar as mudanças mais a sério. Calvície, rugas, gordura ou pelanca incomodam as pessoas e servem de motivação para que gastem mais tempo e dinheiro tentando tratar esses processos. Em relação às alterações no interior do trato digestório, o que os olhos não veem o coração não sente. As pessoas tendem a pensar que, a menos que sintam uma forte dor de barriga, deve estar tudo bem lá dentro. Elas não fazem nada para cuidar do estômago e dos intestinos, que continuam a se deteriorar. Mais tarde, quando ficam doentes, muitas pessoas se arrependem de não ter mudado o seu estilo de vida para prevenir doenças.

Eu me preocupo mais com o que ocorre no interior do corpo do que com o que ocorre fora. Em parte, é porque consigo ver o interior dos órgãos por meio do colonoscópio. Mas, principalmente, porque sei que essas alterações internas estão diretamente relacionadas com a saúde geral das pessoas.

Meus pacientes que seguem rigorosamente a Alimentação e o Estilo de Vida do Fator Enzimático fazem isso porque sabem que suas vidas dependem dessa atitude. Para os que tiveram câncer, entretanto, o estilo de vida saudável com histórico de taxa de 0% de recidiva é mais importante do que qualquer outra coisa. Mas eu gostaria de mudar essa taxa de 0% de recidiva de câncer para uma taxa de 0% de doença, fazendo com que as pessoas com doenças latentes adotassem um estilo de vida saudável.

Para que isso aconteça, todos devem entender claramente as alterações que o consumo de carne provoca no intestino.

O maior motivo pelo qual a ingestão de carne vermelha danifica o intestino é a ausência de fibras alimentares e a presença de grandes quantidades de gordura e colesterol. Além disso, a carne faz com que as paredes do cólon fiquem gradualmente mais espessas e rígidas. Isso acontece porque a falta de fibras alimentares na carne resulta em redução significativa de fezes no cólon, fazendo-o trabalhar mais do que o normal para excretar uma pequena quantidade de fezes por meio dos movimentos peristálticos. Em outras palavras, o excesso de movimentos peristálticos faz com que os músculos da parede intestinal fiquem mais espessos e mais desenvolvidos, tornando o cólon mais rígido e mais curto.

À medida que as paredes do cólon tornam-se mais espessas, o lúmen, ou cavidade colônica, fica mais estreito. Embora a pressão interna no cólon rígido e estreito aumente, quando grandes quantidades de gordura são absorvidas juntamente com a proteína animal, a camada de gordura em torno do cólon aumenta, exercendo mais pressão na parede intestinal. O aumento da pressão interna no cólon empurra a mucosa para fora, formando cavidades semelhantes a bolsas chamadas divertículos, quadro denominado diverticulose.

A quantidade normalmente pequena de fezes dificulta ainda mais a passagem pelo cólon. Consequentemente, o cólon acumula fezes compactadas, que permanecem no seu interior por muito tempo. Esse acúmulo adere às paredes do cólon e, associada à diverticulose, entram nos divertículos, tornando a excreção ainda mais difícil.

As fezes acumuladas nos divertículos ou entre as dobras produzem toxinas, causando mutações genéticas nas células desses segmentos que resultam em pólipos. Os pólipos crescem e podem transformar-se em câncer.

DIFERENÇA ENTRE OS INTESTINOS DOS NORTE-AMERICANOS E OS DOS JAPONESES

Quando cheguei a Nova York em 1963, vim como médico residente de cirurgia. Naquela época, o método típico de examinar cólons era por enema de bário, procedimento em que se injetava bário no cólon para depois examiná-lo com raio X. Embora esse método pudesse revelar a existência de um pólipo grande, não revelava pequenos detalhes nem a situação interna do cólon. Além disso, para remover o pólipo detectado, usava-se a laparotomia — grande incisão no abdome. Esse procedimento acarretava uma grande sobrecarga mental e física para o paciente. Ademais, com esse método, não era possível dizer se o pólipo era benigno ou canceroso até que o cirurgião observasse o cólon durante a cirurgia.

Naquela época havia um endoscópio chamado proctoscópio, que era um tubo metálico reto semelhante a um cano, porém, por mais que os médicos tentassem, não conseguiam enxergar mais de 20 centímetros de distância do ânus.

Assim, em 1967, comprei um esofagoscópio (usado para examinar o esôfago) que era fabricado no Japão e descobri uma maneira de usar aquele dispositivo de fibra de vidro para examinar o cólon. Foi meu primeiro colonoscópio.

Depois disso, quando foi desenvolvido um dispositivo longo (185 cm) especificamente para exame de cólon, comprei-o para examinar meus pacientes. Quando olhei o cólon de um norte-americano pela primeira vez, surpreendi-me com suas más condições.

Com uma alimentação baseada em carne vermelha, o cólon dos norte-americanos era claramente mais rígido e curto do que o dos japoneses. Além do estreitamento do lúmen, protuberâncias semelhantes a anéis tinham se formado em determinadas áreas como se estivessem amarradas com elástico. Havia também muitos divertículos e frequentes acúmulos de fezes.

Essa deterioração das condições intestinais não resulta somente em doenças como câncer de cólon, pólipos colônicos e divertículos. Muitas pessoas com problemas no intestino, na verdade, contraem doenças relacionadas ao estilo de vida, como fibromas, hipertensão (pressão alta), arteriosclerose (endurecimento das artérias), cardiopatias, obesidade, câncer de mama, câncer de próstata e diabetes. Quando os intestinos não funcionam bem o corpo vai enfraquecendo de dentro para fora.

Muitos norte-americanos têm problemas de cólon e, naquela época, dizia-se que uma em cada dez pessoas tinha pólipos. De fato, no departamento de cirurgia em que eu era residente, a remoção de pólipos constituía cerca de um terço das cirurgias. A situação era tal que todos os dias realizavam-se laparotomias somente para retirar minúsculos pólipos de um a dois centímetros. Isso me levou a questionar se não haveria uma maneira de remover pólipos sem impor tamanha carga aos pacientes.

Nesse meio-tempo, naquela época entrava em uso no Japão um "fibroscópio com gastrocâmera" feito de fibra de vidro e com lentes acopladas à sua extremidade. Então, em junho de 1968, fiz meu importante pedido ao fabricante japonês. Pedi-lhe que desenvolvesse um fio que pudesse ser inserido em um colonoscópio para ser usado na cauterização de pólipos sem a necessidade de abrir o abdome. Em 1969, depois de muitas reuniões no escritório da empresa em Nova York e de muitos testes, tornei-me a primeira pessoa no mundo a realizar uma polipectomia — isto é: a remoção de um pólipo usando um fio em alça através de um colonoscópio sem precisar abrir o abdome.

Posteriormente, essa inovação tecnológica foi aplicada à excisão de pólipos de estômago, esôfago e intestino delgado. Depois que meus casos de polipectomias colonoscópicas foram relatados no Congresso da Sociedade de Cirurgia de Nova York, em 1970, e na Conferência Norte-Americana de Endoscopia Gastrintestinal, em 1971, abriu-se um novo campo, o da endoscopia.

Mais de trinta anos se passaram desde então. Durante esse tempo, como continuo a trabalhar nos Estados Unidos e no Japão, tenho observado alterações nas características gastrintestinais das pessoas de ambos os países.

No início da década de 1960, quando se aproximava o período de crescimento rápido do Japão, o país aprendeu a se equiparar aos Estados Unidos, e até a superá-los em muitas coisas.

A partir de 1961, quando o leite foi introduzido nas merendas escolares do Japão, as pessoas passaram a consumir laticínios, como queijo e iogurte, diariamente. Ao mesmo tempo, verduras, legumes e peixes, que eram a base das refeições japonesas, começaram a ser substituídos por proteínas animais, gradualmente transformando a alimentação japonesa em uma alimentação com alto teor de gordura e proteína animal à base de hambúrguer, carne bovina e frango frito. Essa tendência continua até hoje.

Em contraposição, depois da publicação do Relatório McGovern em 1977, muitos norte-americanos começaram a melhorar sua alimentação. Essas diferenças são visíveis nas características intestinais de norte-americanos e japoneses.

Em franca deterioração por causa dos hábitos alimentares, os intestinos dos japoneses, antes limpos, agora se parecem muito com os intestinos dos norte-americanos, cuja alimentação é à base de carne. Por outro lado, as características intestinais de muitos norte-americanos, que realmente se preocuparam com a sua saúde e corrigiram a sua alimentação com alto teor de gordura e proteína, melhoraram sobremaneira. Assim, desde 1990, a taxa de pólipo e câncer de cólon está caindo — clara evidência de que é possível promover a saúde intestinal melhorando os hábitos alimentares.

O ÍNDICE DE CÂNCER GÁSTRICO NO JAPÃO É DEZ VEZES SUPERIOR AO DOS ESTADOS UNIDOS

Por causa da ênfase cultural e histórica dos Estados Unidos na ingestão de carne, as características intestinais dos norte-americanos, em geral, permanecem piores que as dos japoneses. No entanto, o estômago de muitos japoneses é, na verdade, bem pior do que o dos norte-americanos. Em exames do estômago de norte-americanos e japoneses, constatei que o povo japonês tem uma probabilidade vinte vezes maior de contrair gastrite atrófica, doença em que a mucosa gástrica torna-se fina. Além disso, como a gastrite atrófica aumenta a chance de câncer gástrico, o índice dessa doença é dez vezes mais elevado no Japão do que nos Estados Unidos.

Tanto nos Estados Unidos como no Japão, a obesidade é um grande problema atualmente. Entretanto, não há tantos japoneses obesos como sua contraparte de norte-americanos. O fato é que os japoneses não conseguem ficar obesos como os norte-americanos. Pode-se observar isso nos lutadores de sumô, que precisam ganhar peso. Não há nenhum lutador de sumô japonês com um corpo como o de Konishiki (um lutador havaiano que pesava mais de 272 kg e que chegou à posição de *ozeki*, segundo posto mais importante do sumô japonês).

Os japoneses não conseguem ficar obesos como os norte-americanos, pois, antes de atingirem esse ponto, eles têm problemas gástricos que os impedem de comer mais. Em outras palavras, os norte-americanos conseguem engordar mais do que os japoneses porque têm um sistema digestório mais resistente.

Ao examinar estômagos com o endoscópio, encontrei diferenças consideráveis entre japoneses e norte-americanos em relação aos sintomas. Quando examino japoneses, mesmo que seus problemas não sejam tão graves, eles reclamam de dores de estômago e de grande desconforto e azia. O interessante é que os norte-americanos, ainda que tenham a mucosa do estômago ou do esôfago bastante inflamada, raramente se queixam de azia e de outros problemas como os japoneses.

Um dos motivos dessa diferença é a quantidade de vitamina A encontrada na alimentação norte-americana. A vitamina A protege não só a mucosa gástrica como também todas as outras mucosas, como as dos olhos e da traqueia. O óleo de cozinha tem alto teor de vitamina A. Seria possível argumentar que a alimentação no Japão está mais ocidentalizada, mas os norte-americanos consomem muito mais óleo, manteiga e ovos do que os japoneses. Se pensarmos na saúde do corpo como um todo, esses alimentos não nos fazem bem. Mas se levarmos em conta somente a proteção das mucosas, eles têm alguns efeitos positivos.

Outra possível explicação para o fato de o sistema gastrintestinal dos norte-americanos ser mais forte é o número de enzimas digestivas de seu organismo. As enzimas digestivas decompõem o alimento e ajudam o corpo a absorver os nutrientes. O número dessas enzimas determina a digestão e a absorção do alimento. A digestão e a absorção avançam passo a passo à medida que as várias enzimas são liberadas em cada estágio da digestão. O primeiro desses estágios é a saliva, os outros são o estômago, o duodeno, o pâncreas e o intestino delgado. Nessas circunstâncias, se cada órgão secretar enzimas digestivas em quantidade suficiente, a digestão e a absorção serão um processo fácil. No entanto, a excreção insuficiente causará indigestão, além de sobrecarregar muito os outros órgãos.

A razão para a tendência de muitos japoneses terem sintomas, como dor ou desconforto gástrico, ainda que seu estômago não esteja em condições tão ruins, é que eles originalmente têm um número menor de enzimas digestivas do que os norte-americanos.

Além disso, os japoneses tendem a tomar medicamentos para o estômago assim que os sintomas pioram, enquanto muitos norte-americanos, não. O que os norte-americanos tomam de fato são suplementos enzimáticos. Mas, no Japão, esses suplementos só são vendidos com receita médica e prescritos apenas quando o médico julga necessários. Nos Estados Unidos, os suplementos de enzimas digestivas são extremamente populares e podem ser comprados facilmente em lojas de produtos naturais e nos supermercados.

O fato é que tomar medicamento para inibir a secreção de ácido gástrico acelera ainda mais a deterioração do revestimento do estômago. Antiácidos e medicamentos para o estômago extremamente populares, como a combinação de bloqueadores dos receptores H2 e inibidores da bomba de prótons, são anunciados como altamente eficazes na supressão da secreção de ácido gástrico. Entretanto, se esse ácido for reduzido com medicamentos, a mucosa gástrica atrofiará e a consequência será a que já mencionei anteriormente, ou seja, a atrofia da mucosa gástrica aumentará e poderá levar ao desenvolvimento de câncer de estômago.

Se você tem dor ou desconforto estomacal, deve consultar um médico e relatar exatamente suas condições físicas, para que ele possa prescrever os suplementos de enzima adequados aos seus sintomas. Ou então comprá-los em uma loja de produtos naturais, lendo cuidadosamente os rótulos. A ingestão de suplementos de enzima digestiva produzirá uma melhora significativa em seu estômago.

QUANTO MAIS ANTIÁCIDO VOCÊ TOMAR, PIOR FICARÁ SEU ESTÔMAGO

Existem dois lugares no corpo humano em que um ambiente extremamente ácido serve de medida protetora: o estômago e a vagina. Esses dois órgãos têm níveis ácidos elevados, com pH entre 1,5 e 3,0, cuja principal função é matar bactérias.

Seja no banho ou no ato sexual, as bactérias invadem a vagina, onde existem lactobacilos que produzem ácidos potentes para matar esses invasores.

As bactérias entram no estômago durante a ingestão de alimentos. Estima-se que 300 a 400 bilhões de bactérias entrem no estômago a cada refeição. O potente ácido presente no suco gástrico mata a maioria delas.

Em outras palavras, como as bactérias invadem o estômago e a vagina, esses locais precisam produzir um ácido capaz de matá-las. Frequentemente, quando o ácido gástrico, indispensável à proteção do corpo, é inibido com medicamentos, as bactérias, que liberam fortes toxinas, chegam ao estômago e ao intestino, onde podem causar diarreia e outras doenças.

Se a secreção do ácido gástrico for reduzida, a secreção de pepsina e ácido clorídrico, que ativam as enzimas digestivas, também será reduzida, resultando em má digestão. Além disso, uma quantidade insuficiente de ácido gástrico dificulta a absorção de ferro e minerais, como cálcio e magnésio. Assim, as pessoas que se submeteram a gastrectomias* por causa de úlceras ou câncer de estômago estão sempre anêmicas, porque depois da remoção do estômago deixam de secretar ácido gástrico e não conseguem absorver o ferro.

Além disso, a supressão do ácido gástrico destrói o equilíbrio bacteriano do intestino, resultando no enfraquecimento do sistema imunológico. Dizem que cerca de 100 trilhões de bactérias de 300 variedades residem no intestino humano. Entre elas, estão as chamadas bactérias boas, como o lactobacilo bífido (*bifidobacterium*) e as bactérias ruins, como as bactérias de Welsh. A maioria das bactérias do intestino, entretanto, não é nem boa nem ruim, são bactérias intermediárias. Essas bactérias intermediárias têm propriedades exclusivas, de modo que se o número de bactérias boas do intestino se multiplicar, elas se transformam em bactérias boas; e se o número de bactérias ruins se multiplicar, elas se transformam em bactérias ruins. Assim, as bactérias intermediárias realizam o equilíbrio entre as boas e as ruins, e é esse equilíbrio que determina a saúde geral do ambiente intestinal.

Se a secreção de ácido gástrico for insuficiente, as enzimas digestivas não serão ativadas, e os alimentos não digeridos irão direto para o intestino. Os alimentos que deveriam ter sido digeridos e absorvidos no intestino permanecem não digeridos no cólon. A temperatura no interior do cólon humano é de 37°C, que equivale a uma temperatura de alto verão. O alimento

---

* Remoção do estômago ou de parte dele.

não digerido se decompõe e sofre fermentação anormal. A consequência é a multiplicação anormal das bactérias ruins do cólon e o enfraquecimento do sistema imunológico.

Desse modo, quanto mais antiácido você tomar, mais danos seu organismo sofrerá. Para evitar esse dano, é preciso *evitar* a azia ou a sensação de inchaço que o faz tomar antiácido. Se você descobrir a causa da azia e da sensação de inchaço, conseguirá evitá-los apenas com algumas precauções.

A azia ocorre quando o ácido gástrico reflui para o esôfago. O esôfago é suscetível ao ácido por ser um ambiente tipicamente alcalino. Assim, quando há acúmulo de ácido gástrico no esôfago, as pessoas inconscientemente engolem saliva, que é alcalina, para lavar o ácido gástrico que refluiu. Entretanto, o acúmulo causado por excesso de comida ou má digestão associado à dificuldade de empurrá-lo para baixo com saliva causa ferimentos no esôfago, semelhantes a arranhões, chamados erosões esofágicas. Nessa situação, quando o ácido gástrico reflui para o esôfago, a sensação é a mesma de esfregar álcool no ferimento, o que provoca a dor ou o desconforto comumente conhecido como azia. E o alívio proporcionado pelo antiácido é causado pela supressão da produção de ácido gástrico.

Em outras palavras, para inibir a azia, tudo o que se tem a fazer é evitar que o conteúdo estomacal volte do estômago para o esôfago. Para isso, primeiramente deve-se evitar o excesso de alimentos e de bebida e eliminar tabaco, álcool e café. Outra coisa importante a ser lembrada é jantar quatro ou cinco horas antes de dormir, de modo que o estômago esteja vazio na hora de ir para a cama.

Na mucosa do estômago existem minúsculas projeções chamadas vilosidades, que secretam ácido gástrico. A ingestão contínua de antiácidos para reduzir a secreção de ácido gástrico causa o encurtamento cada vez maior dessas vilosidades, enfraquecendo a sua função. A isso se dá o nome de atrofia da mucosa. À medida que essa atrofia evolui, a mucosa gástrica afina, causando inflamação — gastrite atrófica. O estômago com gastrite atrófica transforma-se facilmente em estufa para a *Helicobacter pylon* (*H. pylon*) e outros tipos de bactéria, o que piora muito a inflamação e pode chegar ao câncer de estômago.

A infecção por *H. pylori*, comum nos Estados Unidos, aumenta em duas a seis vezes o risco de câncer gástrico em pessoas infectadas. A *H. Pylon* pode se esconder no interior das células da mucosa ou do muco que protege a mucosa gástrica dos ácidos gástricos. Como a porta de entrada da *H. Pylon* no organismo é a boca, a taxa de infecção aumenta com a idade, e estima-se que o índice de infecção em pessoas com idade acima de 50 anos seja de 50%.

O fato de uma pessoa estar infectada com *H. Pylori* não quer dizer que ela necessariamente terá câncer gástrico, mas, para impedir a multiplicação dessa bactéria, recomenda-se evitar o máximo possível o uso de medicamentos, inclusive antiácidos.

TODOS OS MEDICAMENTOS SÃO ESTRANHOS PARA O CORPO

Os norte-americanos tomam medicamentos de forma displicente. Acredito que, a longo prazo, todos os medicamentos, vendidos com ou sem receita médica, sejam basicamente danosos ao organismo. Alguns acreditam que os fitoterápicos não têm efeitos colaterais e só trazem benefícios, mas isso também é um erro. Não importa se são produtos químicos ou fitoterápicos, isso não muda o fato de que os remédios em geral são estranhos para o corpo.

A última vez que fiquei doente foi aos 19 anos, quando tive uma gripe, portanto, tomei muito pouco remédio na vida. Sou um canário em mina de carvão. Como não tomo medicamento há várias décadas, além de não consumir álcool nem tabaco e de só consumir alimentos sem agrotóxicos ou aditivos, se tomar algum medicamento, ainda que em doses pequenas, terei reações extremas. Por exemplo, se eu tomar sopa de missô com temperos cultivados com agrotóxicos, minha pulsação subirá até vinte batimentos cardíacos, e eu consigo sentir meu rosto ficando vermelho. Uma xícara de café é suficiente para subir minha pressão arterial de dez para vinte pontos.

Atualmente, muitas pessoas que, como eu, reagem a doses mínimas de medicamento são rotuladas de "hipersensíveis a medicamentos", mas eu considero esse rótulo totalmente inadequado. Em seu estado natural, o corpo humano é assim. Como a maioria das pessoas consome regularmente álcool, tabaco, cafeína, refrigerante e alimentos com aditivos e condimentos químicos, seus organismos desenvolveram tolerância a substâncias químicas, anulando, assim, a sensibilidade a estímulos.

Entretanto, por ser médico, prescrevo medicamentos aos meus pacientes quando julgo necessário. Quando os médicos prescrevem medicamentos, eles têm a responsabilidade de ao menos escolher os que oferecem o mínimo possível de sobrecarga ao organismo. Por isso, antes de prescrever alguma medicação nova, eu tinha o hábito de primeiro testar o medicamento em meu próprio organismo, que tem sensibilidade a medicamentos. Isso significava tomar 1/4 ou 1/8 da dosagem prescrita e observar a reação do meu corpo. Eu verificava a segurança do medicamento experimentando-o em mim.

Nos Estados Unidos, obviamente, os efeitos colaterais amplamente conhecidos dos medicamentos são descritos nos mínimos detalhes. Mesmo assim, se eu próprio não ingerir, nunca saberei o verdadeiro efeito do medicamento. De fato, muitos tipos de medicamento produzem reações que não são mencionadas na bula. Desse modo, eu conseguia explicar aos pacientes a minha própria experiência e os efeitos colaterais conhecidos do público, e eu só prescrevo medicamentos se eles souberem exatamente o que estou receitando.

Nos últimos anos, entretanto, parei de usar meu corpo para testar o efeito de medicamentos, pois pensei que ia morrer depois de testar um fármaco popular para tratamento de disfunção erétil.

Primeiro eu tentei partir 1/4 do comprimido de 50 mg, a menor dosagem à venda. Mas o comprimido era tão duro que não consegui quebrá-lo. Então, raspei um pouco do medicamento, coloquei o pó na ponta do dedo e lambi. Embora a quantidade ingerida não correspondesse a mais de 1/7 da quantidade normal, o sofrimento pelo qual passei foi terrível. Quando penso no que aconteceu, fico feliz por não ter ingerido mais.

Os efeitos surgiram em apenas dez minutos. A primeira reação foi congestão nasal. Depois, comecei a ter dificuldade para respirar; parecia que o meu rosto estava inchando. A dificuldade respiratória piorou a tal ponto que eu achei que morreria sufocado. Para dizer a verdade, a última coisa que passou pela minha cabeça foi ter uma ereção. Naquele momento de tanto sofrimento e ansiedade, apenas rezei silenciosamente para não morrer.

Com isso, aprendi que: quanto mais rápido o efeito do medicamento, maior é a sua toxicidade. Ao escolher medicamentos, não se esqueça de que os de alta eficácia e que produzem alívio imediato serão muito mais prejudiciais ao organismo do que os outros.

Mesmo no caso de medicação gastrintestinal, existem muitos efeitos colaterais imprevisíveis. Por exemplo, a ingestão regular de antiácidos, como os bloqueadores de receptores H2, pode causar disfunção erétil. Existem dados que mostram redução aguda na contagem de esperma. É por isso que não há nenhum exagero em minha afirmação de que os problemas relacionados à esterilidade masculina, que temos visto nos últimos anos, podem ser atribuídos a vários antiácidos fortes comercializados.

Entre as pessoas que estão acostumadas a tomar medicamentos de venda controlada, algumas provavelmente não sabem que medicamentos estão tomando nem quais são seus efeitos colaterais. Mas qualquer tipo de remédio representa uma sobrecarga para o corpo, por isso, é importante saber exatamente quais são seus riscos.

A AZIA É UM AVISO DO CORPO; PRESTE ATENÇÃO

Ao longo dos anos, observei que é comum minhas pacientes com câncer de mama terem diverticulose e fezes compactadas. Acredita-se que o câncer de mama não tenha nenhuma relação com o câncer de cólon. Pelo que tenho visto no consultório, eles estão intimamente relacionados.

Os cientistas estão tentando desesperadamente encontrar a causa do câncer, mas, na realidade, não existe uma causa única. Isso também se aplica a outras doenças, pois muitos fatores que nos rodeiam — alimentação, água, remédios, falta de exercício, stress, estilo de vida — afetam nosso organismo de forma complexa e geram doenças.

Em virtude do avanço da especialização da medicina, há uma tendência de olhar apenas para a área específica do corpo onde a doença se manifesta. Quando os pacientes se queixam de azia, muitos médicos receitam antiácidos para reduzir a secreção de ácido gástrico, porque eles acreditam que a causa da azia seja a "hiperacidez gástrica". Em outras palavras, eles acreditam que a produção de ácido gástrico esteja alta e que essa hipersecreção precise ser inibida com medicação.

É verdade que, se a secreção de ácido gástrico for reduzida, os sintomas da azia desaparecerão. Mas, como eu já disse anteriormente, essa forma de tratamento causará sérios danos e sobrecarregará todas as outras partes do organismo. Creio que o diagnóstico de que azia, refluxo de ácido e indigestão ácida sejam resultado de "hiperacidez gástrica" esteja errado. De fato, *não existe excesso de ácido gástrico*. O ácido gástrico é produzido porque é necessário ao equilíbrio da saúde geral do organismo. Acredito que a inibição desses mecanismos naturais com remédios acabe reduzindo o tempo de vida.

O corpo humano é um sistema complexo e de equilíbrio delicado. Esse sistema também existe no interior de cada uma dos 60 trilhões de células que formam o corpo humano. Se você leva seu corpo a sério, pense no início de sua formação no nível celular.

Nossas células estão sempre sendo substituídas por novas. Em algumas regiões do corpo, a substituição total das células não leva mais do que alguns dias, enquanto em outras, o processo pode levar vários anos. No final, todas elas são substituídas. Essas novas células são formadas pela água e pelos alimentos que ingerimos diariamente. Com base nisso, podemos dizer que a qualidade dos alimentos e da água que consumimos determina nossa saúde.

O sistema gastrintestinal, que absorve os alimentos e a água, forma a base do nosso corpo. Se a qualidade dos alimentos e da água for ruim, o sistema gastrintestinal será o primeiro a sofrer. Mais tarde, os elementos ruins absorvidos serão transportados pelos vasos sanguíneos a todas as células do corpo. Não importa o quanto os ingredientes sejam ruins, as células só disporão desse material transportado para fazer novas células. Desse modo, a qualidade dos alimentos e da água determina a saúde do corpo todo.

Depois de descobrir que as características gastrintestinais refletem o estado de saúde do corpo todo, comecei a pedir aos meus pacientes que respondessem questionários sobre a sua alimentação e o seu estilo de vida. Assim consegui descobrir o que é bom e o que é ruim para o corpo, sem a influência de nenhum "conhecimento estabelecido" que eu tivesse acumulado até aquela época. Pude tirar minhas conclusões pela observação de meus resultados clínicos. O que acontece no interior do corpo é diferente do que acontece no experimento de laboratório. A única maneira de descobrir a verdade é perguntar diretamente ao corpo.

O NÚMERO DE ENZIMAS É O SEGREDO DA SAÚDE

Ao combinar os resultados do meu questionário com vários dados clínicos, descobri a existência de um fator que desempenha o papel mais importante na preservação da saúde, o fator enzimático.

Conforme mencionei anteriormente, "enzima" é o termo genérico para "uma proteína catalisadora produzida no interior das células de organismos vivos". Simplificando, é um elemento necessário para um organismo conseguir viver.

Onde existe vida, seja no reino animal ou vegetal, existe enzima. Por exemplo, a semente de uma planta germina por causa do trabalho das enzimas. As enzimas também trabalham quando um broto se transforma em folha. As atividades do corpo humano também são apoiadas por muitas enzimas. A digestão e a absorção, o metabolismo que substitui células velhas por novas, a decomposição de toxinas e a desintoxicação são resultados de funções enzimáticas.

Dos mais de 5 mil tipos de enzimas que atuam no corpo humano, há duas categorias mais amplas: as produzidas dentro do corpo e as que vêm de fora em forma de alimento. Entre as enzimas produzidas no corpo, cerca de 3 mil tipos são produzidos por bactérias intestinais.

Um elemento comum entre as pessoas que têm sistema gastrintestinal saudável é que elas consomem alimentos naturais com alto teor de enzimas. Isso não só implica o consumo de enzimas exógenas, como também a criação de um ambiente intestinal que propicia a intensa produção de enzimas pelas bactérias intestinais.

Por outro lado, o elemento comum entre as pessoas que têm características gastrintestinais ruins é o estilo de vida que acelera o esgotamento das enzimas. O consumo habitual de álcool e tabaco, o excesso de comida, a ingestão de alimentos com aditivos alimentares, a vida em ambientes estressantes e o uso de medicamentos consomem grandes quantidades de enzima. Outros fatores para o esgotamento das enzimas são a má alimentação, que produz toxinas no cólon, a exposição a raios ultravioleta e a ondas eletromagnéticas, que produzem radicais livres requerendo o trabalho de desintoxicação das enzimas, e o stress emocional.

Isso nos ensina que é preciso adotar um estilo de vida que aumente, e não que esgote as enzimas do corpo. Essa é a base da Alimentação e do Estilo de Vida do Fator Enzimático.

Um organismo com abundância de enzimas tem bastante energia vital e um sistema imunológico eficiente. Evite o esgotamento das enzimas — conserve-as em um nível adequado — e seu organismo será saudável.

Atualmente, as enzimas só podem ser produzidas por organismos vivos. Embora possamos fabricar alimentos com enzimas artificialmente, como os alimentos fermentados, são micro-organismos como as bactérias que produzem as enzimas. Portanto, mesmo que possamos criar um ambiente propício à produção de enzimas por micro-organismos, não conseguimos sintetizá-las ou produzi-las de modo artificial.

É por isso que a Alimentação e o Estilo de Vida do Fator Enzimático enfatizam a importância dos alimentos. Conforme afirmei anteriormente, os alimentos que contêm enzimas criam um ambiente intestinal propício à produção de enzimas pelas bactérias intestinais. Como todos os seres vivos têm uma reserva predeterminada de enzimas, é essencial que nós, vivendo em ambientes estressantes e poluídos, consumamos enzimas produzidas por outros seres vivos e que façamos bom uso delas.

TUDO DEPENDE DAS ENZIMAS-FONTE

Embora me refira a "enzimas" como uma palavra única, é necessário mais de 5 mil tipos de enzimas para que as pessoas realizem suas atividades diárias, pois cada enzima desempenha apenas uma função.

Por exemplo, a enzima digestiva amilase, encontrada na saliva, reage somente ao amido, enquanto a pepsina, encontrada no suco gástrico, reage somente à proteína.

Seguindo esse raciocínio, surge uma pergunta. Independentemente da quantidade de enzimas fornecidas ao corpo por meio dos alimentos e das bactérias intestinais, como podemos ter certeza de que estamos ingerindo o "tipo certo" de enzima que o organismo necessita naquele momento?

O fato é que, mesmo quando ingerimos alimentos ricos em enzimas, elas não são absorvidas e usadas pelo corpo humano de forma direta. Algumas, como as enzimas do nabo e do inhame, atuam diretamente nos órgãos da digestão, como a boca e o estômago, mas são exceções. A maior parte das enzimas dos alimentos é decomposta pelo processo de digestão e absorvida pelo intestino como peptídeos ou aminoácidos.

Talvez você queira saber por que essas enzimas são importantes já que não é possível absorvê-las e usá-las diretamente. Mas essa não é a questão. Os dados clínicos que reuni mostram claramente que as pessoas que têm uma alimentação rica em enzimas também apresentam nível elevado de enzimas no organismo.

Então, o que acontece no corpo para que as enzimas sejam produzidas? Explicarei minha teoria a partir desse ponto, com base em quarenta anos de medicina examinando centenas de milhares de tratos digestórios. Observando meus dados clínicos, desenvolvi a teoria de que deve existir um protótipo de enzima-fonte — que gosto de chamar de enzima "milagrosa".

Comecei pensando que poderia existir um protótipo de enzima. Essa ideia me ocorreu ao observar que, quando uma grande quantidade de determinada enzima é usada em uma área específica do organismo, parecia haver escassez de enzimas em outras áreas. Um exemplo disso, como disse anteriormente, se dá quando se consome muito álcool, pois um grande número de enzimas é usado para decompor o álcool, resultando na diminuição de enzimas necessárias para a digestão e absorção em outras áreas.

A partir dessa observação, cheguei à conclusão de que vários milhares de tipos de enzimas devem originar-se de um protótipo, que primeiro é produzido e, depois, convertido em uma enzima específica para ser usada onde houver uma necessidade específica.

As enzimas são responsáveis por todas as funções de um organismo vivo. O movimento dos dedos, a respiração e os batimentos cardíacos acontecem por causa do trabalho das enzimas. Mas o sistema seria ineficiente se cada enzima usada para uma atividade específica fosse produzida originalmente em sua forma final, sem respeitar as necessidades dinâmicas do corpo.

Se minha teoria estiver correta, quando um órgão ou uma parte do organismo usar uma quantidade excessiva de sua reserva de enzima, o corpo terá dificuldade para manter a homeostase, reparar células e apoiar os sistemas nervoso, endócrino e imunológico, porque ele esgotará as enzimas-fonte e, consequentemente, criará uma escassez de enzimas em outras áreas.

A outra razão pela qual acredito na existência de enzimas-fonte é que o uso habitual de álcool, tabaco ou medicamentos fará com que o corpo desenvolva uma tolerância a essas substâncias.

Por exemplo, depois de ingerido, o álcool é absorvido no estômago e no intestino, acumulando-se no fígado onde é decomposto por enzimas específicas para essa substância. Vários tipos de enzima agem no fígado com essa finalidade. Entretanto, a taxa de decomposição do álcool difere consideravelmente de pessoa para pessoa. As pessoas que metabolizam rapidamente o álcool têm muitas enzimas disponíveis no fígado para essa finalidade. Por outro lado, pessoas com baixa tolerância ao álcool têm pouquíssimas enzimas disponíveis para a decomposição dessa substância.

Entretanto, mesmo as pessoas que inicialmente tinham pouca tolerância ao álcool podem aumentá-la e acabar conseguindo beber muito. Quando o fígado reconhece que são necessárias grandes quantidades de enzimas para fazer o metabolismo do álcool, o corpo se ajusta para concentrá-las nessa função.

Assim, o número de enzimas em uma área específica do corpo muda conforme a necessidade. O que possibilita isso? É a existência da enzima-fonte, que pode transformar-se em qualquer tipo de enzima. Quando são consumidos alimentos que contêm enzimas, as enzimas-fonte são armazenadas no corpo, prontas para serem usadas num momento de necessidade. Após a ingestão de alimentos que contêm enzimas, as enzimas-fonte prontas para serem usadas num momento de necessidade são armazenadas no organismo.

A existência de enzimas-fonte ainda é uma teoria, cujos dados clínicos que coletei corroboram.

POR QUE OS MEDICAMENTOS ANTICÂNCER NÃO CURAM O CÂNCER

Já falei sobre os danos que os medicamentos tendem a fazer no corpo. O maior problema é que eles exaurem grandes quantidades de enzimas-fonte. De todos os medicamentos, os mais difíceis para as enzimas-fonte são os medicamentos anticâncer.

Na medicina atual, os quimioterápicos são usados por um período curto após a cirurgia de câncer para evitar que ele se espalhe, mesmo que não haja nenhuma evidência de metástase. Eles atuam envenenando tanto as células malignas como as normais, na esperança de que o corpo regenere as células normais e que todas as malignas morram.

Como os quimioterápicos são venenos mortais, uso-os somente em situações muito extraordinárias. Por exemplo, mesmo que o câncer seja encontrado nos linfonodos, fora do cólon, não uso quimioterapia. Meu plano de tratamento consiste em primeiro lugar em remover cirurgicamente a parte invadida pelo câncer, e depois da remoção da parte visível, começo a eliminar o que possa ser a *causa* do câncer naquele paciente. É desnecessário dizer que primeiramente peço que se abstenham de tabaco e álcool e que interrompam totalmente o consumo de carne e de leite e seus derivados. Além de adotar a Alimentação e o Estilo de Vida do Fator Enzimático, peço-lhes que ajustem sua perspectiva mental, treinando a mente para abrigar os pensamentos e os sentimentos mais felizes que puderem. Assim, meu plano de tratamento busca impedir a recorrência do câncer elevando a imunidade do corpo por meio da melhora da saúde física e mental.

As enzimas são responsáveis pelo reparo e pela regeneração celular, preservando o sistema imunológico e outras atividades vitais. O número de enzimas-fonte do corpo é que determina se o sistema imunológico funciona ou não adequadamente.

Considero as drogas anticâncer, como os quimioterápicos, venenosas porque quando elas entram no organismo, liberam grandes quantidades de radicais livres altamente tóxicos. Ao fazer isso, esses medicamentos matam as células cancerosas do corpo inteiro. Entretanto, elas não são as únicas a morrer. Muitas células normais também morrem no processo. O velho ditado "combata o fogo com fogo" provavelmente se aplica à maneira como os médicos que usam drogas anticâncer realizam esse trabalho. Ao mesmo tempo, os quimioterápicos também são considerados carcinogênicos.

O tempo todo o organismo humano trabalha para manter a homeostase. Por isso, quando grandes quantidades de radicais livres altamente tóxicos se acumulam no corpo, as enzimas-fonte se transformam em enzimas específicas para sua desintoxicação. O organismo tenta neutralizar como pode o dano causado por esses radicais livres.

Sem dúvida, há muitas pessoas que venceram o câncer com quimioterapia, mas muitas delas eram jovens e é provável que ainda tivessem a maior parte de suas enzimas-fonte. Os níveis de enzimas-fonte diminuem com a idade. Obviamente, existem diferenças individuais, mas a quimioterapia tem maior probabilidade de funcionar em organismos jovens porque ainda existem enzimas-fonte suficientes para ajudar o corpo a se recuperar do stress causado pelo tratamento.

Os conhecidos efeitos colaterais da quimioterapia são perda de apetite, náusea e queda de cabelo, mas acredito que esses sintomas se devam às grandes quantidades de enzimas-fonte usadas na desintoxicação. O número de enzimas-fonte consumidas no processo de desintoxicação após a quimioterapia é enorme.

A deficiência de enzimas digestivas provoca perda de apetite. Ao mesmo tempo, o metabolismo celular desacelera, por causa da quantidade insuficiente de enzimas metabólicas, e a mucosa do estômago e do intestino fica irregular, causando náuseas. A falta de enzimas metabólicas provoca descamação da pele, unhas quebradiças e queda de cabelo. (Outros tipos de medicamentos causam os mesmos problemas, embora em menor intensidade).

Os medicamentos não conseguem curar doenças. O único caminho para a cura de doenças é o estilo de vida.

POR QUE NÃO HÁ RECIDIVA DE CÂNCER EM PESSOAS QUE ADOTAM A ALIMENTAÇÃO E O ESTILO DE VIDA DO FATOR ENZIMÁTICO

Os tumores se formam quando as células anormais se multiplicam e transformam-se em massas de tecido. Eles podem ser benignos, quando não sofrem metástases, não se infiltram em outras partes do corpo e têm o crescimento restrito. Ou podem ser invasivos ou malignos — câncer.

Diante de um diagnóstico de câncer, a primeira coisa com que se preocupar é a existência de metástase. Em caso afirmativo, torna-se difícil a remoção cirúrgica de todas as áreas afetadas e a recuperação completa.

Metástase significa o surgimento de câncer em uma região diferente daquela em que ele se desenvolveu. Em geral, diz-se que o câncer é metastático quando as células cancerosas migram por meio dos linfonodos e vasos sanguíneos para outros órgãos, onde se multiplicam. Mas o meu raciocínio sobre isso é ligeiramente diferente. Acredito que o simples processo de multiplicação de células cancerosas em um órgão já repercute nos outros, tornando o corpo todo propenso ao câncer.

Normalmente, o câncer é descoberto quando o tumor tem no mínimo um centímetro. Ele se origina em uma célula cancerosa que se multiplica. São necessárias várias centenas de milhões de células para formar um tumor.

Portanto, a formação de tumor leva algum tempo. O câncer é uma doença relacionada ao estilo de vida. Logo, o surgimento de câncer em determinado lugar indica que provavelmente existam células cancerosas em outras partes do corpo que ainda não se transformaram em tumor. Essas células são como uma série de "bombas-relógio" espalhadas pelo corpo. O que determina qual dessas "bombas" explodirá primeiro são fatores como hereditariedade e ambiente de vida. No caso de uma pessoa que consome muitos alimentos com agrotóxicos e aditivos alimentares, pode ser que a "bomba" exploda primeiro no fígado, que controla o processo de desintoxicação. No caso de pessoas que têm horários irregulares de refeição e que tomam chá ou ingerem antiácidos regularmente, as "bombas" do estômago devem explodir primeiro. Mesmo se o estilo de vida for o mesmo, os fatores hereditários poderão determinar o local onde a "bomba" explodirá primeiro. Em outras palavras, o câncer não é uma doença localizada que invade apenas uma área do corpo. Ele é uma doença que afeta o corpo inteiro.

Aparentemente, o câncer se dissemina ou cria metástases porque as bombas espalhadas pelo corpo explodem uma depois da outra, com uma defasagem de tempo. Partindo desse ponto de vista, a legitimidade do enfoque na remoção da área primária da doença, dos linfonodos e dos vasos sanguíneos é questionável.

A remoção cirúrgica do câncer é considerada perigosa quando há metástase, uma vez que a remoção acelerará o crescimento do câncer metastático em outras partes do corpo. Entretanto, isso só é natural quando pensamos no câncer como uma doença do corpo inteiro. Com a remoção de órgãos, linfonodos e vasos sanguíneos de um organismo com nível de energia baixo, é natural que as suas funções imunológicas se deteriorem ainda mais rápido.

No caso de câncer de cólon, não removo o mesentério* para impedir que o câncer se espalhe para os linfonodos ou outras áreas. Acredito que a perda do linfonodo represente um dano maior do que um pequeno câncer intacto.

A medicina moderna acredita que se o câncer não for removido cirurgicamente, o órgão doente não se curará sozinho. Mas essa não tem sido a minha experiência. O sistema imunológico e a força de cura natural dos seres humanos parecem ser maiores do que se acredita. Como prova disso, meus pacientes que ainda ficaram com um pequeno câncer nos linfonodos, mas que seguem minha terapia alimentar, não apresentaram recidiva de câncer.

* Pregas do peritônio que ligam os intestinos à parede abdominal dorsal.

Se você melhorar sua alimentação adotando a Alimentação e o Estilo de Vida do Fator Enzimático, as enzimas-fonte, que são a energia da vida, serão supridas em grandes quantidades. Ao mesmo tempo, os hábitos de vida que exaurem as enzimas-fonte serão corrigidos, portanto, o benefício será duplo. O número de enzimas-fonte será restaurado de maneira adequada, fortalecendo a capacidade imunológica do corpo e ativando as células imunológicas para impedir a recorrência do câncer.

Há um limite para essa terapia. Se o câncer já chegou ao último estágio, não adianta melhorar a alimentação nem o estilo de vida ou tomar suplementos para fortalecer o sistema imunológico. Será difícil restaurar as funções normais do organismo porque as enzimas-fonte já se esgotaram.

Entretanto, em minha experiência clínica, mesmo as pessoas em que o câncer tenha invadido um terço ou a metade da circunferência interna do cólon não apresentarão recidiva da doença e conseguirão recuperar a saúde *se*, após a remoção do câncer original, adotarem uma alimentação apropriada e tomarem suplementos, em vez de aplicações de quimioterapia, para que suas enzimas-fonte sejam capazes de atuar com mais eficiência.

A maioria dos meus pacientes vem ao meu consultório basicamente para fazer exames de rotina, portanto não examino muitas pessoas com câncer avançado. Entretanto, entre os pacientes cancerosos que adotam a Alimentação e o Estilo de Vida do Fator Enzimático após a cirurgia, nenhum teve recidiva ou metástase. Esse fato merece atenção.

VALOR LIMITADO DOS MEDICAMENTOS

Novamente, no nível mais fundamental, a maioria dos medicamentos não cura doenças. Eles podem ser úteis no caso de fortes dores ou grave hemorragia ou, ainda, em emergências para inibir os sintomas que devem ser inibidos. Eu mesmo, às vezes, prescrevo bloqueadores dos receptores H2, como antiácidos, para pacientes que se queixam de sangramento ou dores causadas por úlceras gástricas. Mas minha recomendação é que não tomem a medicação por mais do que duas a três semanas. Ao mesmo tempo em que a dor for aliviada pela medicação, a causa da úlcera será removida. Há várias causas para a úlcera, e a menos que suas raízes sejam arrancadas, não há quantidade de medicamento que consiga curar a doença. As úlceras podem ter várias causas, como o stress, além da quantidade, qualidade e horários das refeições, e, a menos que essas causas sejam levadas em consideração, nenhum medicamento conseguirá curar a doença. Embora o medicamento possa dar a impressão de uma cura temporária, a úlcera acabará irrompendo novamente.

O único caminho para a cura de qualquer doença é o estilo de vida. Por isso, uma vez removida a causa e curada a úlcera gástrica, é importante adotar hábitos alimentares apropriados para impedir que o problema retorne.

As enzimas-fonte não são produzidas automaticamente. Uma boa alimentação e um estilo de vida saudável que não desperdice enzimas permitem que o próprio organismo produza a energia de que necessita. O segredo para curar doenças e ter uma vida longa e saudável é saber como evitar o desperdício das preciosas enzimas-fonte.

A ALIMENTAÇÃO DE SENSO COMUM PODE PREJUDICAR O ORGANISMO

Se analisarmos o senso comum em relação à alimentação e digestão, veremos que muitas coisas que normalmente consideramos boas para o organismo, na verdade trabalham contra os mecanismos naturais do corpo.

Tomemos como exemplo os alimentos indicados para os doentes. Canja de galinha é o alimento preferido por doentes nos Estados Unidos. Alimentos sem muito tempero são considerados bons para pacientes com úlcera. No Japão, as pessoas hospitalizadas, seja qual for o motivo, sempre recebem creme de arroz na refeição. Os hospitais acreditam que estão cuidando de seus pacientes, principalmente dos que sofreram cirurgia interna, dizendo-lhes: "Vamos começar com um pouco de creme de arroz para não sobrecarregar demais o seu estômago e o seu intestino." Mas esse é um grande erro.

Os meus pacientes comem normalmente desde o início, mesmo após a cirurgia de estômago. Quando você souber como as enzimas funcionam, entenderá imediatamente por que os alimentos não processados são melhores do que o mingau. São melhores porque precisam ser bem mastigados. A mastigação estimula a secreção de saliva. As enzimas digestivas encontradas na saliva, quando misturadas ao alimento durante a mastigação, melhoram a digestão e a absorção, pois a decomposição do alimento acontece sem problemas. Entretanto, o mingau, por ser mole, dispensa a mastigação. Ele não é bem digerido porque não ocorre a mistura de enzimas em quantidade suficiente, enquanto o alimento normal é bem digerido por causa da mastigação.

Já indiquei até sushi para pacientes três dias após a cirurgia de estômago. Mas oriento-os a "mastigar setenta vezes cada bocado". Mastigar bem é muito importante, principalmente para os doentes. Para que o processo de digestão e absorção transcorra sem problemas, recomendo que as pessoas, mesmo aquelas que não têm problemas gastrintestinais, mastiguem conscientemente trinta a cinquenta vezes cada bocado da refeição.

Outro erro frequente na alimentação dos hospitais é o leite. Os principais nutrientes dessas refeições são proteínas, gordura, glicose, cálcio e vitaminas. O leite é muito popular por ser rico em cálcio e por supostamente prevenir a osteoporose.

Mas, na verdade, não há nenhum alimento de digestão tão difícil como o leite. Por ser uma substância líquida e lisa, algumas pessoas bebem leite para matar a sede, o que é um grande erro. A caseína, que responde por cerca de 80% da proteína encontrada no leite, coagula assim que entra no estômago, tornando a digestão muito difícil. Além disso, no leite vendido no mercado, esse componente é homogeneizado. Homogeneização significa integrar o conteúdo de gordura do leite mexendo-o. A homogeneização é ruim porque, ao ser mexido, o leite recebe ar, que transforma o seu componente gorduroso em substância gordurosa oxidada — gordura em estado avançado de oxidação. Em outras palavras, o leite homogeneizado produz radicais livres e exerce uma influência muito negativa no organismo.

O leite com gordura oxidada passa, então, pelo processo de pasteurização a altas temperaturas que ultrapassam os 100°C. As enzimas, que são sensíveis ao calor, começam a ser destruídas na temperatura de 93°C. Em outras palavras, as preciosas enzimas do leite são destruídas, sua gordura é oxidada pelo ar e a qualidade de suas proteínas é alterada pelas altas temperaturas. Resumindo, o leite é o pior tipo de alimento que existe.

Na verdade, já ouvi dizer que se um bezerro for alimentado com o leite vendido no comércio em vez de mamar direto na mãe, ele morreria em quatro ou cinco dias. A vida não pode ser sustentada com alimentos desprovidos de enzimas.

O LEITE CAUSA INFLAMAÇÃO

A primeira vez que ouvi a respeito do mal que o leite faz ao organismo foi há mais de 35 anos, quando meus próprios filhos desenvolveram dermatite atópica* aos seis ou sete meses de idade.

A mãe das crianças seguiu as instruções do pediatra, mas não importava o quanto fossem tratadas, a dermatite das crianças não melhorava. Então, por volta dos 3 ou 4 anos, meu filho começou a apresentar uma diarreia

* Inflamação grave da pele.

grave, que, no final, já continha sangue. Um exame endoscópico revelou uma colite ulcerativa* em estágio inicial.

Sabendo que a colite ulcerativa está intimamente relacionada com a alimentação, analisei o tipo de alimentos que meus filhos consumiam regularmente. Conforme foi constatado mais tarde, eles começaram a desenvolver dermatite atópica justamente quando minha esposa parou de amamentar e começou a alimentá-los de acordo com a orientação do pediatra. A partir daquela época, eliminamos o leite e seus derivados da alimentação das crianças. Obviamente, as fezes sanguinolentas e a diarreia, e até mesmo a dermatite atópica, desapareceram completamente.

Depois daquela experiência, comecei a elaborar uma lista de como o leite e seus derivados eram consumidos com base na história alimentar de meus pacientes. Segundo os meus dados clínicos, o consumo de leite e seus derivados tem uma grande probabilidade de predispor a alergias. Essa predisposição está correlacionada com os recentes estudos sobre alergia que relatam a maior propensão à dermatite atópica em filhos de mães que consumiram leite durante a gestação.

Nos últimos trinta anos no Japão, o número de pacientes com dermatite atópica e rinite alérgica aumentou em proporções alarmantes. Atualmente, a proporção deve ser de uma em cada cinco pessoas. Existem muitas teorias para explicar esse aumento tão rápido no número de pessoas com alergia, mas acredito que a principal causa seja a introdução do leite nas merendas escolares no início da década de 1960.

O leite, que contém muitas substâncias gordurosas oxidadas, agride o ambiente intestinal, aumentando a quantidade de bactérias ruins e destruindo o equilíbrio da flora bacteriana. Como resultado, toxinas, como radicais livres, sulfetos de hidrogênio e amônia, são produzidos no intestino. As pesquisas sobre o tipo de processo pelo qual essas toxinas passam e o tipo de doenças que surgem ainda não estão concluídas, mas vários trabalhos científicos relatam que o leite não só causa vários tipos de alergia como também está ligado a diabetes em crianças.** Esses trabalhos estão disponíveis na internet, e eu recomendo a sua leitura.

POR QUE O CONSUMO EXAGERADO DE LEITE CAUSA OSTEOPOROSE

O conceito mais errôneo sobre o leite é que ele ajuda a prevenir a osteoporose. Como o conteúdo de cálcio do organismo diminui com a idade, somos

---

* Inflamação grave acompanhada de úlceras no interior do cólon.

** Ver www.sciencenews.org/pages/sn_arc99/6_26_99/fob2.htm

orientados a beber muito leite para prevenir a osteoporose. Mas esse é um grande erro. Beber leite demais, na verdade, *causa* osteoporose.

Acredita-se que o cálcio do leite seja mais bem absorvido do que o cálcio de outros alimentos, como os peixes pequenos, mas isso não é inteiramente verdadeiro.

A concentração de cálcio no sangue humano normalmente gira em torno de 9 ou 10 miligramas. Entretanto, quando se ingere leite, essa concentração sofre um aumento repentino. Embora, à primeira vista, pareça que o cálcio tenha sido absorvido, esse aumento no nível de cálcio no sangue tem seu lado negativo. Quando a concentração aumenta repentinamente, o corpo tenta normalizar esse nível excretando o cálcio dos rins por meio da urina. Em outras palavras, a tentativa de beber leite para obter cálcio, na verdade, ironicamente, reduz o nível geral de cálcio no organismo. Em todos os quatro países que consomem leite diariamente e em grandes quantidades — Estados Unidos, Suécia, Dinamarca e Finlândia — a incidência de casos de osteoporose e fraturas de quadril é alta.

Em contraposição, os peixes pequenos e as algas marinhas, consumidos pelos japoneses há muito tempo e cujo conteúdo de cálcio antes se pensava ser pequeno, contêm cálcio de absorção lenta que permite o aumento dos níveis de cálcio no sangue. Além disso, no Japão, havia pouquíssimos casos de osteoporose na época em que as pessoas não bebiam leite. Mesmo agora, não se ouve falar muito em osteoporose entre pessoas que não bebem leite regularmente. O organismo consegue absorver o cálcio e os minerais necessários mediante a digestão de pequenos camarões, peixes e algas marinhas.

POR QUE QUESTIONO O "MITO" DO IOGURTE

Recentemente, vários tipos de iogurte, como "iogurte do Mar Cáspio" e "iogurte de aloé vera", tornaram-se muito populares no Japão porque seus benefícios à saúde são amplamente divulgados. Mas acho que tudo isso é falso.

O que costumo ouvir das pessoas que consomem iogurte é que o intestino melhorou, a prisão de ventre foi curada e a cintura diminuiu. Elas acreditam que esses resultados se devam aos lactobacilos do iogurte.

Entretanto, os benefícios dos lactobacilos são questionáveis desde as suas bases. Os lactobacilos são originalmente encontrados no intestino humano. Essas bactérias são chamadas "bactérias intestinais". O corpo humano tem um sistema de defesa contra bactérias e vírus exógenos, portanto, mesmo as bactérias que fazem bem ao organismo, como os lactobacilos, serão atacadas e destruídas pelas defesas naturais do corpo se não fizerem parte da flora intestinal.

A primeira linha de defesa é o ácido gástrico. Quando os lactobacilos do iogurte entram no estômago, a maioria é destruída por esse ácido. Por isso, houve alguns avanços recentes e a embalagem dos iogurtes traz a seguinte frase: "lactobacilos que chegam ao seu intestino".

Entretanto, mesmo que as bactérias consigam chegar ao intestino, é possível que elas trabalhem em conjunto com as bactérias que habitam o intestino?

Questiono o iogurte porque, no contexto clínico, as características intestinais das pessoas que consomem iogurte diariamente nunca são boas. Tenho uma forte suspeita de que, mesmo se os lactobacilos do iogurte chegassem vivos ao intestino, não só não fariam o intestino funcionar melhor como ainda prejudicariam a flora intestinal.

Então, por que muitas pessoas acham que o iogurte melhora a saúde? Para muitos, o iogurte parece "curar" a prisão de ventre. Essa "cura", entretanto, é, na verdade, um caso de diarreia branda. Eis como isso provavelmente funciona: os adultos têm carência de enzimas que decompõem a lactose, ou açúcar encontrado nos derivados do leite. Mas a lactase, enzima que decompõe a lactose, começa a diminuir no organismo à medida que envelhecemos. Em certo sentido, isso é natural, porque são as crianças que bebem leite, e não os adultos. Em outras palavras, os adultos não precisam de lactase.

O iogurte é rico em lactose, mas a falta da enzima lactase não permite que ela seja bem digerida, resultando em má digestão. Resumindo, muitas pessoas têm diarreia leve quando consomem iogurte. Consequentemente, essa diarreia leve, que na verdade é uma excreção das fezes compactadas e acumuladas no cólon até aquele momento, é erroneamente considerada a cura da prisão de ventre.

As condições intestinais da pessoa que consome iogurte todos os dias pioram. Posso afirmar isso com base em minhas observações clínicas. O consumo diário de iogurte aumenta cada vez mais o mau cheiro das fezes e dos gases. Isso é uma indicação de que o seu ambiente intestinal está piorando. A razão do mau cheiro é a produção de toxinas no interior do cólon. Assim, ainda que as pessoas falem dos efeitos saudáveis do iogurte (e as empresas de iogurte não economizam elogios aos seus produtos), na verdade, ele contém muitas coisas que não são boas para o organismo.

Como afirmei no início, entramos agora em uma era em que nós próprios precisamos cuidar de nossa saúde. Em vez de simplesmente aceitar as informações que chegam até nós, precisamos testá-las em nosso próprio corpo.

Quando eu digo que é preciso testar no próprio corpo, não quero dizer apenas comer ou experimentar qualquer outra coisa. A pessoa que acredita que o iogurte acabou com a sua prisão de ventre porque ele provocou diarreia não está vendo o contexto todo. Testar no próprio corpo quer dizer primeiro informar-se para obter a melhor orientação possível, depois colocá-la em prática e, por fim, de tempos em tempos, consultar um médico de confiança para exame do trato gastrintestinal. Desse modo, será possível confirmar ou rejeitar os conselhos recebidos. Se você pretende colocar em prática a Alimentação e o Estilo de Vida do Fator Enzimático contidos neste livro, recomendo fazer um exame endoscópico antes de começar, e outro dois ou três meses depois. Tenho certeza de que ocorrerão grandes mudanças em suas características gastrintestinais, para melhor.

Para viver mais e com saúde, não se deixe levar por vozes externas, e sim, incline a cabeça e ouça as vozes que vêm do seu corpo.

CAPÍTULO 2

A alimentação do fator enzimático

"Você é aquilo que come", diz o ditado. Doença, vida e saúde são resultados do que você come diariamente.

Em 1996, influenciado pelo Relatório McGovern dos Estados Unidos, o Ministério da Saúde, do Trabalho e do Bem-Estar do Japão decidiu mudar o nome das, então, chamadas "doenças de adulto", como câncer, cardiopatias, doenças hepáticas, diabetes, doenças cerebrovasculares, hipertensão e hiperlipidemia (colesterol alto), para "doenças relacionadas ao estilo de vida". A reavaliação da relação entre alimentação e saúde permitiu a constatação de que essas enfermidades eram decorrentes do estilo de vida e não da idade.

Entretanto, na moderna medicina ocidental, raramente os pacientes têm de responder perguntas sobre a sua história alimentar. Acredito que colite ulcerativa, doença de Crohn, doença do tecido conjuntivo e leucemia sejam chamadas "doenças incuráveis de causa desconhecida" por causa da falta de informação a respeito das escolhas alimentares das pessoas. O avanço das pesquisas sobre a relação entre história alimentar e doenças permitirá a troca do termo "causas desconhecidas" por "causas conhecidas".

As pessoas que indubitavelmente desenvolverão doenças relacionadas ao estilo de vida em determinado momento de suas vidas fumam, ingerem bebida alcoólica todos os dias, comem muita carne e poucas frutas e hortaliças e consomem derivados do leite, como iogurte e manteiga, desde a tenra idade. O tipo de doença que desenvolverão dependerá de sua predisposição genética e do ambiente. Por exemplo, pessoas com artérias geneticamente frágeis desenvolverão hipertensão, arteriosclerose ou cardiopatias e pessoas com rins frágeis poderão desenvolver diabetes. Nas mulheres, fibromas uterinos, cistos ovarianos e doenças mamárias poderão evoluir para câncer, enquanto nos homens, o aumento da próstata (hipertrofia prostática) poderá levar ao câncer, além da possibilidade de câncer de pulmão, pólipos colônicos e artrite. Embora o tipo de doença dependa de fatores genéticos e ambientais, não há nenhuma dúvida de que as pessoas com esses hábitos de vida terão algum tipo de doença.

Cerca de dois anos depois de ter começado a usar o endoscópio para examinar as condições do estômago e do intestino dos pacientes de forma direta, comecei a fazer-lhes perguntas a respeito de sua história alimentar. Quando uma pessoa passa por um exame físico ou faz uma consulta médica em um hospital, deveria ser questionada sobre o seu estilo de vida. No entanto, na maioria dos casos, esses exames se concentram apenas no presente, o que é uma perda de tempo. Para compreender por que as pessoas ficam doentes, é necessário conhecer toda a sua história alimentar — ou seja, quando comem, o que comem e como costumam comer. Obviamente, alguns pacientes não conseguem se lembrar de todos os detalhes, mas como tenho paciência para continuar perguntando, acabo descobrindo coisas interessantes. Por exemplo, no caso de pessoas que bebem leite, mesmo que seja apenas um copo por dia, as consequências para a saúde dependerão da época em que começaram a consumi-lo, se quando nasceram ou depois de adultos, bem como de outros fatores.

Na análise da história alimentar de pacientes com câncer, em geral descubro que eles têm uma alimentação baseada principalmente em proteína animal e derivados do leite, ou seja, carnes, peixes, ovos e leite. Além disso, descobri uma correlação direta entre a época em que a doença se desenvolve e a frequência com que o paciente consome esses tipos de alimentos; em outras palavras, quanto mais cedo começar o consumo de proteína animal (principalmente carne vermelha e leite e seus derivados) e quanto maior a sua frequência, mais cedo a doença aparecerá. Seja qual for o tipo de câncer — câncer de mama, cólon, próstata, pulmão —, a relação com a alimentação de origem animal permanece a mesma.

Não importa o tipo de câncer, as condições intestinais do canceroso são sempre problemáticas. Costumo estimular os portadores dessa doença, seja qual for o tipo, a fazer um exame colonoscópico, pois há uma boa chance de que venham a ter um pólipo colônico ou câncer de cólon.

Entre os pacientes cancerosos que examinei, os resultados confirmaram as expectativas. Para mulheres com câncer de mama e homens com câncer de próstata, a probabilidade de uma anomalia colônica é elevada. Os médicos norte-americanos estão adotando cada vez mais o exame colonoscópico para seus pacientes com câncer. Portanto, esse procedimento já está bastante popularizado nos Estados Unidos. (Se algum leitor tem ou já teve câncer, recomendo um exame colonoscópico o mais rápido possível.)

Não estou dizendo que consumir determinados tipos de alimentos levará a uma doença imediatamente. Entretanto, os efeitos dos hábitos alimentares certamente se acumularão no organismo. A inexistência de sintomas até o momento não é motivo de alívio. A prática faz a perfeição, e é provável que a repetição dos maus hábitos dia após dia e ano após ano acarrete uma doença perfeita.

Atualmente vivemos rodeados por uma ampla variedade de alimentos. Para uma vida longa e saudável, é preciso compreender que a escolha de determinado alimento não pode ser feita apenas com base em seu sabor agradável. Então, quais são os critérios para a escolha dos alimentos para consumo diário?

CONSUMA ALIMENTOS RICOS EM ENZIMAS

Desde criança tenho o dom especial de me dar bem com qualquer cachorro. Não é muito difícil. Tudo o que se tem a fazer é colocar um pouco de saliva na palma da mão e deixar o animal lamber. Fazendo isso, conquista-se a amizade de qualquer cachorro instantaneamente.

Criei muitos cachorros desde pequeno e sei que eles gostam de lamber a boca das pessoas. Ao tentar descobrir o motivo disso, finalmente cheguei à conclusão de que eles gostam de saliva. Quando eu testava minha teoria, todos os cachorros que eu encontrava me abanavam o rabo alegremente. Eu era estudante quando comecei a usar esse método para fazer amizade com todos os cachorros das redondezas da escola. Obviamente que, naquela época, eu não entendia por que os cachorros gostavam tanto de saliva. Esse mistério foi solucionado quando me formei em medicina e comecei a prestar atenção nas enzimas.

"É isso! Os cachorros querem as enzimas da saliva!"

A partir daí, também comecei a observar que todos os animais procuram enzimas.

Quando um carnívoro, como o leão, captura uma presa sempre começa comendo os órgãos internos, ou seja, o tesouro de enzimas. Os esquimós, que vivem em áreas extremamente frias onde quase não crescem plantas, sempre comem primeiro os órgãos internos da foca que capturam. Os coelhos comem as próprias fezes para reabsorver as enzimas e os alimentos não digeridos.

Ultimamente, as doenças em animais de estimação aumentaram drasticamente, mas é fácil saber por quê. A causa está no tipo de alimento. Alega-se que a ração proporciona uma alimentação balanceada, mas essa alegação está fundamentada nas modernas teorias nutricionais, que insistem em ignorar as enzimas. Mesmo que o alimento seja rico em calorias e nutrientes, como vitaminas, minerais, proteínas e gorduras, se ele não contiver enzimas, o organismo não conseguirá se sustentar. Essas preciosas enzimas são sensíveis ao calor e se decompõem entre 58º e 115°C. Não obstante, a ração para animais é sempre aquecida durante o processo de fabricação, seja ela enlatada ou desidratada. Em outras palavras, o processamento da ração mata as enzimas.

Os animais selvagens não comem comida que tenha sido aquecida. Num futuro próximo, acredito que ficará comprovado que muitos tipos de doenças de animais de estimação estão relacionados ao estilo de vida.

Os problemas dos alimentos produzidos para animais de estimação e para os seres humanos são os mesmos.

Os nutricionistas modernos concentram-se em calorias e nutrientes.

"Não consuma calorias demais e tente fazer refeições balanceadas." Esse é o mantra dos nutricionistas modernos.

Normalmente, a recomendação é 2 mil calorias diárias para os homens e 1.600 para as mulheres. Essas calorias devem ser distribuídas entre os quatro grupos alimentares. O primeiro grupo é o do leite e seus derivados e ovos. São os chamados alimentos "completos", por causa de seu conteúdo de proteína, gordura, cálcio e vitaminas A e B2. O segundo grupo é o da carne, dos peixes e dos grãos, que formam os músculos e o sangue. São ricos em proteína, gordura, vitaminas B1 e B2 e cálcio de alta qualidade. O terceiro grupo é o das verduras, legumes e frutas. São alimentos que fazem bem à saúde em geral, porque contêm vitaminas, minerais e fibras. Finalmente, o quarto grupo é o dos grãos, açúcares, óleos e gorduras. São alimentos que contêm carboidratos, gorduras e proteínas, usados para manter a temperatura e a energia do corpo.

Como se pode ver, a palavra "enzima" não aparece em nenhum lugar.

É verdade que determinar o número de enzimas de um alimento não é uma tarefa fácil. Assim como o número de enzimas no organismo varia de indivíduo para indivíduo, ele também varia conforme o tipo de alimento. Essa variação ocorre também entre alimentos do mesmo tipo e entre porções de um mesmo alimento. Por exemplo, o número de enzimas encontrado em duas maçãs da mesma variedade difere de acordo com o ambiente em que foram cultivadas e o tempo decorrido a partir de sua colheita.

No estilo de vida que defendo, basicamente considero "bons" os alimentos ricos em enzimas e "ruins" os alimentos pobres ou desprovidos de enzimas. Por essa razão, os melhores alimentos são os cultivados em solo fértil, rico em minerais, sem o uso de agrotóxicos ou fertilizantes químicos e consumidos imediatamente após a colheita.

Quanto mais frescos os legumes, as verduras, as frutas, as carnes e os peixes, maior o seu conteúdo de enzimas. Em geral, os alimentos frescos são saborosos porque são ricos em enzimas. Entretanto, os seres humanos diferem dos outros animais pelo fato de comerem alimentos cozidos. Cozinhamos, assamos, grelhamos e fritamos a comida. Como as enzimas são sensíveis ao calor, quanto maior o cozimento, maior a perda de enzimas. Mas, novamente, a maioria de nós não pode comer tudo cru.

Portanto, é essencial saber escolher, cozinhar e comer o alimento certo. Continue lendo e todos esses detalhes serão esclarecidos.

A CONSTANTE INGESTÃO DE ALIMENTOS OXIDADOS, OXIDA O ORGANISMO

Alimentos frescos fazem bem ao organismo porque, além de conterem muitas enzimas, não sofreram oxidação.

A oxidação ocorre quando a matéria se liga ao oxigênio e "enferruja". Mas, como o alimento, que não é metal, pode enferrujar? Vemos alimentos enferrujados todos os dias.

Por exemplo, quando fritamos alguma coisa, o óleo usado perde a cor e escurece. As maçãs e as batatas também mudam de cor e ficam marrons logo depois de serem descascadas. Tudo isso é atribuído à oxidação — efeito do oxigênio do ar. Quando o alimento oxidado entra no corpo, criam-se radicais livres.

Graças a recentes discussões sobre esse assunto em programas de televisão e revistas, muitas pessoas já sabem que os radicais livres destroem o DNA das células, causando câncer e muitos outros problemas de saúde. Uma infinidade de programas trata do combate aos radicais livres. Diz-se que o vinho tinto faz bem porque contém o agente antioxidante polifenol. A isoflavona encontrada nos produtos de soja também chama a atenção por causa dos antioxidantes. A razão para os radicais livres serem tão temidos é a sua grande capacidade de oxidação (ferrugem), que supera em muitas vezes a do oxigênio normal.

Os alimentos oxidados não são os únicos a produzir radicais livres. O álcool, o tabaco e vários outros fatores também produzem. Na verdade, até mesmo a respiração produz radicais livres. Quando os seres humanos inspiram oxigênio e queimam glicose e gordura nas células que estão produzindo energia, 2% desse oxigênio corresponde a radicais livres.

Os radicais livres costumam ser tratados como "vilões", mas o fato é que eles também exercem uma função essencial que é matar vírus, bactérias e bolores e suprimir infecções. Entretanto, quando o número de radicais livres ultrapassa determinado nível, as membranas e o DNA das células normais começam a ser destruídos.

O corpo dispõe de um meio para neutralizar o número excessivo de radicais livres — as enzimas antioxidantes. O tipo de enzima responsável por essa função é chamado de SOD (enzima superóxido dismutase).

Entretanto, depois dos 40 anos, a quantidade de SOD no organismo humano cai repentinamente. Existem teorias que postulam que muitas doenças relacionadas ao estilo de vida aparecem em torno dos 40 anos por causa da redução dessa enzima.

Quando o número de superóxido dismutase começa a diminuir com a idade, as enzimas-fonte iniciam o combate aos radicais livres. Quando existe quantidade suficiente dessas enzimas, elas se concentram nos radicais livres à medida que eles surgem. Entretanto, quando a quantidade é pequena, elas não conseguem impedir os danos causados pelos radicais livres.

Em resumo, a ingestão contínua de alimentos oxidados representa um grande número de radicais livres no corpo. Além do mais, os alimentos oxidados têm muito pouca ou nenhuma enzima, e isso dificulta a produção de enzimas-fonte, o que leva a um círculo vicioso de radicais livres não neutralizados causadores de doenças.

Em contraposição, a ingestão de alimentos frescos e ricos em enzimas, juntamente com a restrição da produção de radicais livres, diminui a demanda por enzimas-fonte. Isso cria um círculo positivo que aumenta a energia vital.

NÃO HÁ GORDURA PIOR PARA O ORGANISMO DO QUE A MARGARINA

O tipo de alimento mais suscetível à oxidação é o óleo.

Na natureza, os óleos são encontrados nas sementes de algumas plantas. Como o arroz também é uma "semente", o arroz integral é rico em óleo. O que comumente chamamos de "óleo" é extraído das sementes dos vegetais. Existem vários tipos de óleo de cozinha, como óleo de canola, gergelim, semente de algodão, semente de uva e azeite de oliva, mas somente a parte oleosa é extraída artificialmente.

Antigamente, a extração de óleo costumava ser feita por prensagem, mas atualmente são poucos os fabricantes que ainda usam esse processo.

Por quê? Porque ele não só consome muito tempo e muita mão de obra, como também acarreta uma grande perda do produto. Além disso, a qualidade do óleo extraído sem o uso de calor se altera com maior rapidez do que a do óleo produzido por outros métodos.

Atualmente, a maior parte dos óleos é produzida por um método que utiliza um solvente químico chamado hexano para aquecer a matéria-prima. O óleo é extraído com a evaporação apenas do solvente químico por meio de alta pressão e calor. Esse método reduz a perda de óleo, e o uso de calor torna mais difícil a alteração da qualidade, porém, transforma o óleo em ácido transgraxo, ou gordura trans, elemento muito prejudicial ao organismo.

Os ácidos transgraxos não existem na natureza. Eles aumentam o nível de colesterol ruim e reduzem o nível de colesterol bom. Além disso, também causam câncer, hipertensão e cardiopatias, entre outros problemas de saúde. Os países ocidentais estabelecem um nível máximo de ácidos transgraxos nos alimentos, que, quando não respeitado, inviabiliza o produto para venda. No final de 2006, o Comitê de Saúde da Cidade de Nova York votou a favor da proibição de gordura trans em todos os restaurantes da cidade a partir de julho de 2008.

O alimento que contém o mais alto teor de gordura trans é a margarina. Muitas pessoas acreditam que o óleo extraído de vegetais, como a margarina, que não contém colesterol, é melhor para o organismo do que as gorduras animais, como a manteiga. Mas, isso é um grande erro. A verdade é que nenhum tipo de óleo é mais prejudicial ao organismo do que a margarina. Quando oriento meus clientes sobre como se alimentar, chego ao ponto de dizer: "Se você tem margarina em casa, jogue-a fora imediatamente."

Os óleos vegetais permanecem na forma líquida em temperatura ambiente por causa dos ácidos graxos insaturados. Com as gorduras animais acontece exatamente o oposto, pois o alto teor de ácidos graxos saturados faz com que elas se solidifiquem em temperatura ambiente. A margarina, mesmo sendo derivada de óleo vegetal, permanece sólida em temperatura ambiente, exatamente como a gordura animal.

A margarina é obtida por meio da hidrogenação, que, artificialmente, transforma ácido graxo insaturado em saturado. O processo de produção da margarina começa com a extração química do óleo vegetal, que contém gorduras trans. Em seguida, adiciona-se hidrogênio, que, deliberadamente, converte ácidos graxos insaturados em saturados. Assim, a margarina contém o pior dos dois mundos, a gordura trans do óleo vegetal extraído quimicamente e a gordura saturada semelhante à gordura animal. Não existe óleo ou gordura pior para o organismo do que a margarina.

A gordura vegetal é outro tipo de óleo que contém a mesma quantidade de ácidos transgraxos que a margarina. Suponho que o uso da gordura vegetal na cozinha seja muito raro atualmente, mas ela ainda é muito usada na produção de biscoitos e salgadinhos e no preparo de batatas fritas industrializadas. Os ácidos transgraxos são responsáveis pelos danos que muitos doces e alimentos industrializados causam ao organismo.

SE OCASIONALMENTE VOCÊ PRECISAR COMER FRITURA...

A maneira como você é afetado pelas frituras depende do lugar de origem dos seus ancestrais e de há quanto tempo eles usam óleo quente para cozinhar os alimentos. As pessoas que moram em países próximos ao Mar Mediterrâneo, como Grécia e Itália, cultivam e usam abundantemente o óleo de oliva há quase 6 mil anos. Por outro lado, os japoneses começaram a consumir frituras há 150 ou 200 anos.

Essas diferenças na cultura alimentar podem ser incorporadas aos genes, determinando se o sistema digestório está ou não apto a digerir óleos. O óleo é degradado e digerido no pâncreas, mas, segundo meus dados clínicos, parece que o pâncreas do povo japonês é mais frágil do que o dos povos de países com longa história de consumo de frituras.

Os japoneses se queixam muito de dor na região epigástrica (parte superior do estômago), mas o exame endoscópico não revela nenhuma gastrite, úlcera gástrica ou úlcera duodenal. O que o exame de sangue dessas pessoas costuma acusar é um nível anormalmente elevado de amilase no pâncreas. Quando investigo sua história alimentar, em geral descubro que adoram fritura. Entretanto, é pequeno o número de ocidentais que ingerem tanto ou mais fritura e que acabam com problemas no pâncreas.

Dor na parte superior do estômago após a ingestão de fritura, duas ou três vezes por semana, indica a possibilidade de pancreatite. Nesse caso, recomendo um exame do pâncreas o mais rápido possível.

Atualmente as pessoas usam óleo vegetal em vez de gordura animal por acharem que ele é mais seguro. É preciso tomar um cuidado extra com a quantidade de alimentos fritos ingeridos. Como afirmei anteriormente, o consumo frequente de óleo vegetal extraído artificialmente faz mal ao organismo. Mas as pessoas que acham impossível parar de comer fritura devem ao menos tentar reduzir a frequência para, no máximo, uma vez por mês.

Eu raramente como fritura, mas quando como, removo a camada externa e tento não comer a parte mais oleosa. Quem não consegue resistir às partes mais oleosas, pelo menos deve tentar mastigar bem. A boa mastigação faz com que a saliva se misture ao óleo, ajudando a neutralizar um pouco os ácidos transgraxos. Todavia, a fritura certamente esgotará as enzimas do seu organismo.

Além do mais, a oxidação das frituras é extremamente rápida, por isso não se deve comer alimentos que tenham sido fritos com muita antecedência, como os encontrados nos estabelecimentos de refeições rápidas.

QUAL A MELHOR MANEIRA DE INGERIR ÁCIDOS GRAXOS?

Os ácidos graxos, principais componentes do óleo, são classificados como saturados e insaturados. Os insaturados são os chamados ácidos graxos bons e constituem um nutriente importante para o coração, os órgãos circulatórios, o cérebro e a pele. Entre os ácidos insaturados, alguns não podem ser produzidos pelo organismo humano e, portanto, precisam ser obtidos de alimentos. São os chamados ácidos graxos essenciais, que incluem o ácido linoleico e o ácido araquidônico.

Nos Estados Unidos, há alguns anos, dizia-se que as pessoas deveriam tomar uma colher de chá diária de azeite de oliva para obter ácidos graxos essenciais. Na época, essa prática ficou bastante popularizada por acreditar-se que fazia bem ao organismo. No entanto, alguns estudos constataram que o consumo diário de azeite de oliva poderia causar câncer ovariano. Depois disso, a prática foi rapidamente abandonada.

O fato é que os ácidos insaturados têm propriedades que desencadeiam a rápida oxidação do azeite de oliva. Mesmo que a extração do azeite seja por prensagem, mantenho minha recomendação de não consumir óleo extraído artificialmente.

A respeito do consumo de ácidos graxos insaturados, os encontrados nos peixes são a melhor opção. Existem muitos ácidos graxos de boa qualidade, como o DHA (ácido docosaexaenoico) e o EPA (ácido eicosapentaenoico), encontrados especificamente em peixes, como a sardinha e a cavala. Encontrados também na parte gordurosa dos olhos do atum, atribui-se ao DHA e ao EPA a melhora das funções cerebrais.

Não é necessário a ingestão de óleo na forma direta quando se ingere o alimento em sua forma natural, pois é possível obter ácidos graxos insaturados da gordura dos alimentos. Seja qual for o tipo de óleo usado, uma vez exposto ao ar, o processo de oxidação inicia-se imediatamente. Portanto, sempre que possível, deve-se evitar o uso de óleo para cozinhar.

Em geral, acredita-se que a vitamina A pode ser absorvida com mais facilidade se a comida for cozida com óleo. Por isso, é comum a recomendação do uso de óleo para ingredientes que contêm vitamina A, pois, por ser solúvel em gordura, ela se dissolve facilmente no óleo.

Embora seja verdade que a vitamina A é solúvel em gordura, com uma pequena inovação é possível absorvê-la em quantidade suficiente sem o uso de óleo extraído artificialmente, pois a quantidade necessária à absorção de vitamina A é muito pequena. Dessa maneira, mesmo que o processo de cozimento não use óleo, a simples ingestão de pequenas quantidades de alimentos que contêm óleo, como soja e sementes de gergelim, já é o suficiente para que ocorra a absorção de vitaminas.

Em outras palavras, é possível ingerir uma quantidade adequada de gordura consumindo alimentos que contenham gordura em sua forma natural, sem a adição de óleo extraído artificialmente. Quando digo na forma natural, quero dizer ingerir alimentos que são a matéria-prima do óleo, como grãos, leguminosas, nozes e sementes vegetais, na forma em que ocorrem na natureza. Não há maneira mais segura e saudável de ingerir óleo.

O LEITE COMERCIAL É GORDURA OXIDADA

Depois do óleo, o tipo de alimento com maior facilidade de oxidação é o leite comercial. Antes do processamento, o leite contém muitos elementos bons. Por exemplo, ele apresenta vários tipos de enzimas, como as que degradam a lactose: lipase, que degrada a gordura, e protease, que degrada a proteína. O leite em seu estado natural contém lactoferrina, que é conhecida por seu conteúdo antioxidante, anti-inflamatório, antiviral e efeitos reguladores do sistema imunológico.

Contudo, o leite vendido no comércio perde todas as suas boas qualidades no processo de manufatura, que consiste no seguinte: primeiro, uma máquina de sucção é acoplada às tetas da vaca, que, ao serem comprimidas, fazem o leite espirrar, depois esse leite é armazenado temporariamente em um tanque. O leite cru coletado nas fazendas é, então, transferido para um tanque ainda maior, onde é agitado e homogeneizado. Na realidade, as gotículas de gorduras do leite cru é que são homogeneizadas.

O leite cru tem 4% de gordura, mas a maior parte dela consiste em partículas em forma de pequenas gotas. Como as partículas de gordura flutuam com mais facilidade quando são maiores, se o leite cru for deixado em repouso, a gordura se transformará em uma camada cremosa flutuante. Lembro-me de ter visto uma camada branca de gordura cremosa abaixo da tampa da garrafa quando, na minha infância, bebi leite engarrafado uma ou duas vezes. Como o leite não era homogeneizado, durante o transporte as partículas gordurosas subiam à superfície.

Atualmente, usa-se uma máquina chamada homogeneizadora, que quebra as partículas de gordura mecanicamente em pequenos pedaços. O produto final dessa operação é o leite homogeneizado. Entretanto, nesse processo, a gordura do leite cru liga-se ao oxigênio, transformando-se em gordura hidrogenada (gordura oxidada). Gordura hidrogenada é uma gordura que oxidou demais, ou enferrujou. Como todas as gorduras hidrogenadas, a do leite integral homogeneizado faz mal ao organismo.

Mas o processamento do leite ainda não acabou. Antes de ir para o mercado, o leite homogeneizado é pasteurizado termicamente para inibir a propagação de germes e bactérias. Há quatro maneiras básicas de pasteurizar o leite:

1. Pasteurização lenta de baixa temperatura (LTLT) — Pasteurização térmica entre 62 e 65°C por 30 minutos. Em geral, esse método é chamado de pasteurização de baixa temperatura.
2. Pasteurização lenta de alta temperatura (HTLT) — Pasteurização térmica acima de 75°C durante mais de 15 minutos.
3. Pasteurização rápida de alta temperatura (HTST) — Pasteurização acima de 72°C durante 15 segundos. É o método de pasteurização mais usado no mundo.
4. Pasteurização rápida de temperatura ultra-alta (UHT) — Pasteurização térmica entre 120 e 130°C durante dois segundos (ou a 150°C por um segundo).

Os métodos mais usados no mundo são a pasteurização rápida de alta temperatura e a pasteurização rápida de temperatura ultra-alta. Repetidas vezes, afirmarei isto: as enzimas são sensíveis ao calor, e elas começam a se degradar a uma temperatura abaixo de 48°C; e são totalmente destruídas a 115°C. Assim, em relação ao tempo de processamento, quando a temperatura atinge 130°C, *as enzimas já estão praticamente todas destruídas*.

Ademais, a oxidação da gordura aumenta ainda mais em temperaturas ultra-altas, que também alteram a qualidade das proteínas lácteas. As proteínas do leite se despedaçam como a gema de um ovo que foi cozido durante muito tempo. A lactoferrina, que é sensível ao calor, também se perde.

Por ser homogeneizado e pasteurizado, o leite vendido nos supermercados do mundo não faz bem ao organismo.

O LEITE DE VACA É BASICAMENTE PARA BEZERROS

Os nutrientes encontrados no leite são próprios para bezerros em crescimento. O que é benéfico para o crescimento de bezerros não é necessariamente benéfico aos seres humanos. Ademais, na natureza, os únicos animais que bebem leite são os recém-nascidos. Nenhum animal bebe leite depois de adulto (exceto o *homo sapiens*). É assim que a natureza age. Somente os seres humanos, de forma deliberada, pegam, oxidam e bebem o leite de outras espécies. Isso contraria a lei da natureza. No Japão e nos Estados Unidos, as crianças são estimuladas a tomar leite nas merendas escolares porque acredita-se que ele faz bem ao organismo em crescimento por ser rico em nutrientes. Entretanto, se alguém acha que o leite de vaca e o leite humano são a mesma coisa está redondamente enganado.

O leite humano e o leite de vaca são muito semelhantes quando são levados em conta os seus nutrientes. Ambos contêm nutrientes como proteína, gordura, lactose, ferro, cálcio, fósforo, sódio, potássio e vitaminas. Entretanto, eles diferem na qualidade e na quantidade.

O principal componente de proteína encontrado no leite de vaca é a caseína. Já mencionei que o sistema gastrintestinal humano tem muita dificuldade para digerir essa proteína. Além disso, o leite de vaca também contém a substância antioxidante lactoferrina, que ativa as funções do sistema imunológico. Entretanto, a porcentagem de lactoferrina encontrada no leite humano é 0,15% enquanto no leite de vaca é 0,01%.

Evidentemente, as quantidades e as proporções diferem de acordo com a espécie.

E os adultos?

A título de exemplo, a lactoferrina do leite de vaca é degradada pelo ácido gástrico, portanto, mesmo que o leite seja ingerido cru e sem ter recebido tratamento térmico, a degradação da lactoferrina ocorrerá no estômago. O mesmo acontece com a lactoferrina do leite humano. Um bebê humano recém-nascido consegue absorver lactoferrina do leite da mãe porque o seu estômago ainda não está totalmente desenvolvido e, por isso, a secreção de ácido gástrico é insuficiente para degradar a lactoferrina. Em outras palavras, o leite humano não é para ser consumido por adultos.

O leite de vaca, mesmo fresco e cru, não é apropriado para os seres humanos. Se mesmo antes de processado não faz bem ao organismo, depois de homogeneizado e pasteurizado, transforma-se em alimento prejudicial à saúde. E ainda insistimos para que nossos filhos bebam leite.

Outro problema é que os seres humanos da maioria dos grupos étnicos carecem de quantidade suficiente da enzima lactase, que degrada a lactose. A maioria dispõe de quantidade suficiente quando é criança, mas, com a idade, ela diminui. A incapacidade de digerir a lactose produz sintomas, como ruídos abdominais ou diarreia. A ausência total de lactase no organismo, ou a presença de uma quantidade extremamente pequena, caracteriza intolerância à lactose. A intolerância total à lactose é rara, mas 90% dos asiáticos, 75% dos hispânicos, índios norte-americanos e afro-americanos, bem como 60% das pessoas de cultura mediterrânea e 15% das pessoas do norte da Europa têm carência dessa enzima.

A lactose é um açúcar que só existe no leite de mamíferos. O leite é apenas para recém-nascidos. Mesmo os adultos que não têm a enzima lactase, quando crianças tinham o suficiente para suas necessidades. Ademais, a porcentagem de lactose no leite materno é cerca de 7%, enquanto no leite de vaca é 4,5%.

Como os bebês conseguem se alimentar de leite materno, que é rico em lactose, e quando crescem perdem a enzima digestora do leite, acredito que essa tenha sido a maneira encontrada pela natureza para dizer que o leite não é para adultos.

Às pessoas que adoram o gosto do leite, recomendo enfaticamente que restrinjam o consumo e que tentem beber leite não homogeneizado e pasteurizado a baixas temperaturas. Crianças e adultos que não gostam de leite nunca devem ser estimulados a tomá-lo.

O leite simplesmente não traz nenhum benefício ao organismo.

POR QUE O EXCESSO DE PROTEÍNA É TÓXICO

Na Alimentação e no Estilo de Vida do Fator Enzimático, oriento meus clientes a comer basicamente grãos, verduras e legumes e a restringir produtos animais, como carne, peixes, laticínios e ovos, mantendo o consumo de calorias abaixo de 15% ao dia.

Muitos nutricionistas modernos atribuem à proteína vários elementos ideais, que são decompostos e absorvidos por aminoácidos no intestino, transformando-se em sangue ou músculo. No entanto, mesmo que o alimento seja de boa qualidade, quando consumido mais do que o necessário, transforma-se em veneno. Isso se aplica principalmente ao consumo excessivo de proteína animal, uma vez que o sistema gastrintestinal não consegue degradar nem absorver grandes quantidades de proteína. Em vez disso, ela será degradada no intestino, produzindo altos níveis de toxinas, como sulfato de hidrogênio, indol, gás metano, amônia, histamina e nitrosamina. Além de tudo, ainda são produzidos radicais livres. A desintoxicação dessas substâncias do organismo requer um grande número de enzimas do intestino e do fígado. Cada indivíduo precisa de cerca de um grama de proteína por quilograma de peso corporal. Em outras palavras, uma pessoa que pese 60 quilos precisa de 60 gramas de proteína animal por dia. Entretanto, os dados mostram que o consumo atual de proteína nos Estados Unidos gira em torno de 88 a 92 gramas para homens e 63 a 66 gramas para mulheres. São quantidades, obviamente, excessivas.

O excesso de proteína é excretado na urina, porém, antes de ser eliminado, causa muitos danos ao organismo. Primeiro, as enzimas digestivas convertem o excesso de proteínas em aminoácidos, que são decompostos no fígado antes de fluir para a corrente sanguínea. Como depois desse processo o sangue torna-se mais ácido, grandes quantidades de cálcio são retiradas dos ossos e dos dentes para neutralizar o ácido. O cálcio e o sangue oxidado são, então, filtrados nos rins, fazendo com que o excesso de proteína seja excretado juntamente com uma grande quantidade de água e cálcio. É desnecessário dizer que esse processo também consome muitas enzimas.

O excesso de proteína da carne (incluindo os alimentos processados que contenham carne) e do leite e seus derivados pode causar danos ainda mais sérios à saúde. Por quê? Porque esses alimentos de origem animal não contêm fibras alimentares e aceleram a deterioração da saúde intestinal.

As fibras alimentares não podem ser decompostas pelas enzimas digestivas humanas. Exemplos típicos são a celulose e a pectina, encontradas em vegetais, e a quitina, encontrada nas carapaças de caranguejos e camarões.

O consumo excessivo de carne e a carência de fibras alimentares fazem com que a quantidade de fezes diminua, causando obstrução intestinal e compactação das fezes. Se essa situação não se normalizar, nas paredes intestinais onde se acumulam toxinas e fezes, surgirão divertículos (cavidades semelhantes a bolsas), que favorecem o desenvolvimento de pólipos e câncer.

POR QUE A GORDURA DO PEIXE NÃO OBSTRUI AS ARTÉRIAS HUMANAS

Até aqui mencionei apenas carne quando tratei da proteína animal, mas o peixe também pode trazer os mesmos riscos à saúde quando ingerido em excesso.

Segundo meus dados clínicos, entretanto, existe uma diferença irrefutável entre o "intestino de pessoas que se alimentam de carne" e o "intestino de pessoas que se alimentam de peixe". Isto é, meus pacientes que se alimentam de peixe não desenvolvem divertículos, independentemente do grau de outros danos. Boa parte da literatura médica da atualidade afirma que o consumo excessivo de alimentos desprovidos de fibra alimentar, seja carne, peixe ou produtos lácteos, leva à diverticulose. Mas, pela minha experiência clínica, tenho observado que as pessoas que comem pouca ou nenhuma carne e comem muito peixe, embora tenham as paredes intestinais rígidas e espásticas, não chegam a desenvolver diverticulose.

O que causa essas diferenças nas características intestinais? Acredito que seja o tipo de gordura encontrado na carne e no peixe.

Diz-se que a diferença entre a gordura da carne e a do peixe é que a carne tem ácidos graxos saturados, que causam danos ao organismo, enquanto o peixe tem ácidos graxos insaturados, que fazem bem ao organismo por causa do baixo nível de colesterol. Mas há uma maneira mais fácil de analisar esse assunto, ou seja, tomando-se o homem como padrão. A gordura de animais com temperatura corporal mais elevada do que a do corpo humano deve ser considerada ruim, e a gordura de animais com temperatura corporal mais baixa do que a temperatura do corpo humano deve ser considerada boa.

A temperatura corporal de animais, como vacas, porcos ou aves, normalmente oscila entre 38,5 e 40°C, portanto é mais elevada do que a temperatura do corpo humano (37°C). A temperatura corporal do frango é ainda mais alta, ou seja, 41,5°C. A gordura desses animais atinge sua maior estabilidade na temperatura corporal específica de cada um deles. Assim, quando a gordura entra em um ambiente de temperatura mais baixa, ela se adensa e endurece. Essa gordura viscosa engrossa o sangue. O fluxo de sangue denso é lento, e a compactação dessa gordura no interior dos vasos sanguíneos constitui um obstáculo.

Em contraposição, como os peixes são animais de sangue frio, em condições relativamente saudáveis sua temperatura corporal é muito inferior à temperatura do corpo humano. O que acontece quando a gordura do peixe entra no organismo humano? Como a gordura aquecida em uma frigideira, ela derrete e se liquefaz. O óleo do peixe, quando entra na corrente sanguínea do ser humano, torna o sangue mais fino e reduz o nível de colesterol ruim.

Mesmo quando se consome o mesmo número de gramas de gordura, o peixe é nitidamente melhor para o organismo humano do que os animais de sangue quente, pois essa gordura entra na corrente sanguínea na forma líquida.

O SEGREDO DE COMER PEIXE DE CARNE VERMELHA É COMÊ-LA FRESCA

Os peixes podem ser divididos em peixes de carne vermelha e peixes de carne branca.

Em geral os peixes de carne branca são considerados melhores para a saúde do que os de carne vermelha, pois a carne vermelha tende a oxidar mais rápido por causa de seu alto teor de ferro.

O atum e o bonito são considerados peixes de carne vermelha por ser essa a cor de seu tecido muscular. A cor vermelha deve-se a proteínas específicas chamadas mioglobinas.

As mioglobinas são proteínas globulares que armazenam oxigênio e que se formam a partir de uma cadeia de polipeptídios, ou seja, aminoácidos e poliferrina, um tipo de ferro. Elas são encontradas nos músculos de animais que ficam longos períodos sob a água, como golfinhos, baleias e focas. A longa permanência sob a água só é possível porque as mioglobinas são capazes de armazenar oxigênio nas células para ser usado no metabolismo quando necessário. Em geral, os músculos dos animais também são vermelhos por causa da mioglobina.

O atum e o bonito têm muita mioglobina, o que os possibilita a nadar nos oceanos a altas velocidades. Para isso, seus músculos precisam de um grande estoque de oxigênio. Para prevenir a falta de oxigênio, seus músculos armazenam grande quantidade de mioglobina, o que provoca a oxidação da carne imediatamente após o corte e a exposição ao ar. É por isso que os peixes de carne vermelha não são considerados saudáveis. Em contraposição, os peixes de carne branca como não têm mioglobina, mesmo depois de cortados, não oxidam tão rapidamente.

Entretanto, o peixe de carne vermelha tem mais agentes antioxidantes, como DHA e EPA. Além disso, por ser rica em ferro na forma natural, a mioglobina pode fazer muito bem aos anêmicos. Mas quando esse ferro oxida, transforma-se em óxido de ferro, que traz mais danos do que benefícios ao anêmico. Portanto, ao comer peixe de carne vermelha, é essencial que eles sejam frescos.

Adoro sushi de atum, por isso, quando ocasionalmente como, sempre peço para cortarem cerca de cinco milímetros da borda antes do preparo. Desse modo, elimina-se a parte oxidada pela longa exposição ao ar.

Com um pouco de tempo e energia, o peixe de carne vermelha pode transformar-se em um alimento de alta qualidade. Há, por exemplo, uma especialidade típica de Kochi chamada *katsuo no tataki* (bonito cru tostado), que envolve um método de cozimento em que a superfície do peixe é levemente grelhada. Esse método altera a qualidade da proteína e evita que o peixe oxide mesmo quando exposto ao ar. Graças à velocidade com que ele é grelhado, a camada externa do peixe impede que o restante se exponha ao oxigênio e oxide. Casualmente, esse método também tem a vantagem de matar parasitas que tendem a se acumular na pele do peixe.

Apesar disso, como o peixe é uma proteína animal, é preciso cuidado para não consumir demais. Além do que, os últimos relatórios acusam o aumento do teor de mercúrio no atum. Os exames de sangue de pessoas que consomem esse peixe confirmam isso. Toda pessoa que come atum com frequência, deve fazer ao menos um exame de sangue. Precisamos reconhecer que a poluição do solo e do mar está diretamente relacionada à nossa saúde como indivíduos, portanto esse assunto merece nossa atenção.

A REFEIÇÃO IDEAL CONSISTE EM 85% DE ALIMENTOS DE ORIGEM VEGETAL E 15% DE ORIGEM ANIMAL

A Alimentação e o Estilo de Vida do Fator Enzimático recomendam que a porcentagem de frutas, hortaliças e grãos em nossa alimentação seja de 85% e 15%, respectivamente. Com frequência, perguntam-me se a redução do consumo de carne não ocasionará a falta de proteína. Respondo que isso não é motivo para preocupação. Mesmo a alimentação vegetariana radical consegue fornecer proteína suficiente.

Como acontece com a maioria dos animais e vegetais, o corpo humano é formado basicamente por proteínas. No entanto, o consumo de alimentos proteicos, como carne e peixe, não significa que a proteína será usada na formação do corpo de maneira direta. Isso acontece porque as proteínas se formam a partir de aminoácidos, e os aminoácidos se arranjam das mais variadas formas.

As paredes do intestino humano absorvem as proteínas somente depois de elas serem transformadas em aminoácidos pelas enzimas digestivas. Os aminoácidos absorvidos são, então, ressintetizados no corpo e transformados em proteínas conforme a necessidade.

Existem aproximadamente vinte tipos de aminoácidos que formam as proteínas humanas. Desses vinte tipos, oito não podem ser sintetizados pelo organismo humano: lisina, metionina, triptofano, valina, treonina, leucina, isoleucina e fenilalanina, juntos chamados "aminoácidos essenciais". Esses aminoácidos são preciosos, pois a simples falta de um deles pode causar um sério transtorno nutricional. Daí a absoluta necessidade de sua inclusão na alimentação diária.

As proteínas animais são consideradas de boa qualidade quando contêm todos os aminoácidos essenciais. Por isso, os nutricionistas modernos recomendam o consumo diário de proteínas. Mas, as proteínas vegetais também contêm muitos aminoácidos essenciais, embora nem todos. Grãos, cereais, hortaliças, cogumelos, frutos e vegetais marinhos contêm muitos aminoácidos. Muitos se surpreendem ao saber que a alga desidratada contém 37% de proteína, porém sabe-se que a alga *kelp* abriga um tesouro de aminoácidos.

Entre todos os alimentos do reino vegetal, a soja é considerada a "carne dos campos" por ser rica em aminoácidos. A quantidade de aminoácidos essenciais da soja, com exceção dos níveis de treonina ligeiramente abaixo do padrão, não deixa nada a dever à da carne, e sua digestão, por ser muito mais fácil, não esgota as enzimas-fonte, como a carne.

Obviamente, o excesso de proteína vegetal não faz bem, mas, com base no fato de que as plantas são ricas em fibra alimentar e desprovidas de gordura animal, recomendo uma alimentação à base de proteínas vegetais, complementando-a ocasionalmente com um pouco de proteína animal, de preferência peixe.

Considerando-se vários alimentos vegetais individualmente, fica evidente que nenhum vegetal, sozinho, tem todos os aminoácidos essenciais. Mas, em geral, nossas refeições combinam vários tipos de alimento. Se soubermos combinar grãos, legumes, verduras e sopa, esse tipo de alimentação pode fornecer os aminoácidos essenciais em quantidade adequada.

O ARROZ BRANCO É "COMIDA MORTA"

Recentemente, muitas pessoas começaram a reduzir a ingestão de arroz por acreditar que os carboidratos engordam. Entretanto, é um erro pensar que o arroz faz as pessoas engordarem. Minhas refeições são compostas por 40 a 50% de grãos, mas, como são bem equilibradas, não engordo.

Meu alimento de base, entretanto, não é o arroz branco polido que a maioria das pessoas come. É o arroz integral, acrescido de outros cinco grãos, como cevada laminada, milheto, trigo sarraceno, quinoa, amaranto, aveia, aveia integral e trigo bulgor. Essa mistura de grãos com arroz integral forma meu prato de base. Minha preferência é por grãos integrais frescos, não refinados e orgânicos.

A temporada de colheita do arroz é limitada, portanto não é possível ter arroz recém-colhido sempre. Por isso, compro arroz integral em embalagem a vácuo, que evita o contato com o oxigênio. Uma vez aberto o pacote, tento consumi-lo em dez dias, porque ele oxida quando exposto ao ar. O arroz branco oxida muito mais rápido do que o arroz integral porque ele não tem mais casca. O mesmo acontece com as maçãs descascadas, que mudam imediatamente de cor e assumem um tom amarronzado.

O arroz que comemos é a semente da planta. Em seu estado original, essa semente está envolta em uma casca. Depois que a casca é retirada, sobra o que costumamos chamar de arroz integral. Quando todas as camadas de farelo são retiradas, resta o germe de arroz. Quando também ele é removido, resta somente o albume, que é o arroz branco.

A maioria das pessoas prefere o arroz branco porque ele é branco, macio, de sabor doce e aparência mais agradável, mas, na realidade, ele é o arroz do qual foram retiradas as partes mais importantes. É comida morta.

Uma maçã ou uma batata descascada oxida rapidamente e assumem um tom marrom. Por já não ter mais a casca, o arroz refinado (embora a cor não mude) oxida muito mais rápido do que o arroz integral. O arroz branco é bom apenas quando recém-refinado porque ainda não sofreu oxidação.

Entretanto, o arroz branco não contém mais o farelo ou a parte do germe, por isso, mesmo se for colocado na água, apenas se expandirá, sem conseguir germinar nem florescer. O arroz integral pode germinar quando colocado na água em temperatura correta. É um alimento vivo, com potencial de germinação. Por isso, digo que o arroz branco não tem vida; é um alimento morto.

As sementes de vegetais contêm muitas enzimas para que a planta possa germinar em ambiente apropriado. As sementes também possuem uma substância inibidora de tripsina, que as impede de germinar por conta própria. A razão para que os grãos, as leguminosas e os tubérculos não sejam consumidos crus é a necessidade de um grande número de enzimas digestivas para neutralizar e digerir os inibidores de tripsina. Entretanto, como esses inibidores são quebrados na presença de calor, é melhor que esses alimentos sejam cozidos antes de serem consumidos.

Os cereais não refinados conservam os nutrientes que fazem bem ao organismo. Eles contêm quantidades balanceadas de nutrientes importantes, como proteínas, carboidratos, gorduras, fibras alimentares, vitamina B1, vitamina E e minerais, como ferro e fósforo.

Qualquer que seja a qualidade do arroz branco, ele tem somente um quarto dos nutrientes do arroz integral. A parte do germe contém muitos nutrientes, por isso, ao comer arroz refinado, é melhor deixar ao menos essa parte intacta.

Muitas pessoas dizem que o arroz integral é difícil de cozinhar, mas hoje em dia há dispositivos que facilitam muito o processo de cozimento. Existe também o arroz integral *hatsuga*, que é apenas ligeiramente germinado. Mesmo quem não sabe cozinhar arroz integral, consegue cozinhar muito bem o arroz *hatsuga*.

O trigo não refinado também é muito bom, pois o trigo refinado perde muito do seu valor nutricional. Para os amantes de pães e massas, a melhor opção são os feitos com trigo integral.

POR QUE OS CARNÍVOROS COMEM OS HERBÍVOROS

A regra básica da alimentação é comer alimentos frescos.

Os alimentos frescos são melhores e quanto mais frescos eles são, maior o seu conteúdo de enzimas. Essas enzimas mais tarde poderão transformar-se em algumas das 3 mil enzimas necessárias ao funcionamento do corpo.

Existem incontáveis espécies de animais na Terra, e uma coisa que todos eles têm em comum é o gosto por alimentos ricos em enzimas. Nós, seres humanos, esquecemos essa regra básica da natureza? O homem elabora teorias nutricionais modernas somente analisando e classificando os nutrientes encontrados nos alimentos e contando as calorias. No entanto, o fator mais importante, o fator enzimático, tem sido completamente omitido. Assim, as pessoas comem muita comida morta sem nenhum conteúdo de enzimas.

O mesmo pode-se dizer da ração para animais de estimação. As rações de hoje em dia são totalmente desprovidas de enzimas. Por causa disso, muitos animais sofrem de várias doenças. É por isso que não dou ração para os meus cachorros. Em vez disso, eu os alimento com o arroz integral, que eu também como. Pode parecer estranho cachorros comerem arroz integral, mas eles ficam muito felizes quando lhes sirvo arroz integral salpicado com *non* (algas). Eles também gostam de legumes, verduras e frutas. E até brigam para comer talos de brócolis ligeiramente cozidos.

Ao falarmos de carnívoros, poderíamos pensar que eles precisam apenas de carne, mas isso não é verdade. Eles também precisam de legumes e verduras. Então, por que eles comem somente carne? Porque eles não têm as enzimas para decompor os vegetais. Mas isso não quer dizer que eles não tenham acesso a fontes externas de enzimas.

É possível compreender isso quando se observa que os carnívoros selvagens só comem herbívoros. Depois de capturarem sua presa, a primeira coisa que eles comem são os intestinos, onde as plantas ingeridas pelos herbívoros juntamente com as enzimas estariam em processo de digestão. Desse modo, o carnívoro adquire os vegetais que estavam sendo digeridos no estômago e no intestino dos herbívoros.

Carnívoros só comem herbívoros, e herbívoros só comem plantas. Essa é a lei da natureza. Se essa lei for ignorada, certamente haverá algumas consequências. Um exemplo típico disso é a doença da vaca louca.

A causa da doença da vaca louca ainda não foi completamente esclarecida, mas o que sabemos é que o cérebro se transforma em uma esponja em virtude de uma alteração nos príons, partículas de proteína desprovidas de ácido nucleico. Então, qual a causa da alteração nos príons? As pesquisas realizadas até o momento indicam que a doença da vaca louca se disseminou com a distribuição de alimentos que continham farinha de carne e osso bovino (alimento produzido a partir de carne, couro e osso que sobram do processamento da carne). As agências governamentais dos Estados Unidos e do Japão, bem como de outros países, dizem que essa doença se deve à farinha de carne e osso geneticamente contaminada. Mas, na minha opinião, alimentar bovinos herbívoros com farinha de carne e osso, em primeiro lugar, contraria as leis da natureza.

Esse tipo de alimentação surgiu para atender aos interesses egoístas dos seres humanos. É um alimento que aumenta a quantidade de proteína e cálcio do leite de vaca. O leite com maior teor de proteína e de cálcio pode ser vendido mais caro. Assim, acredito que a doença da vaca louca seja causada pelo egoísmo e pela arrogância dos seres humanos que ignoram as leis da natureza.

Enfim, o tipo e a quantidade de alimentos que todos os animais, inclusive os seres humanos, devem comer são determinados pelas leis da natureza. Não é possível levar uma vida saudável ignorando isso.

POR QUE OS HUMANOS TÊM 32 DENTES

Conforme expliquei anteriormente, a refeição ideal é composta por 85% de alimentos de origem vegetal e 15% de alimentos de origem animal. Cheguei a essas porcentagens, na verdade, com base no número de dentes dos seres humanos. Os dentes refletem o tipo de alimento que cada espécie animal deve comer. Por exemplo, os dentes dos carnívoros são bastante pontiagudos, como os caninos. É o tipo ideal para rasgar a carne do osso da presa. Em contraposição, os herbívoros têm dentes como os incisivos, finos e quadrados, próprios para morder vegetais. Eles também têm molares, que trituram as plantas depois de abocanhadas.

Pode parecer loucura contar os dentes dos animais para determinar qual a melhor alimentação para eles, mas essa ideia não é tão nova assim. No passado, muitos viam uma profunda ligação entre o tipo de dente e a alimentação ideal.

Os seres humanos têm um total de 32 dentes (incluindo o dente do siso). A distribuição é a seguinte: dois pares de incisivos (dentes da frente) em cima e embaixo, um par de caninos e cinco pares de molares em cima e embaixo. Assim, a proporção é de um canino para dois incisivos e cinco molares, sendo um canino para comer carne e dois incisivos mais cinco molares, totalizando sete, para comer alimentos de origem vegetal.

Se aplicarmos essa proporção entre vegetais e carnes, chegamos a sete para um, o que sugere uma alimentação 85% de origem vegetal e 15% de origem animal.

Resumindo a alimentação balanceada para o homem:

- A proporção entre os alimentos de origem vegetal e os de origem animal é 85 a 90% para 10 a 15%, respectivamente.
- Ao todo, a porcentagem de grãos deve ser 50%, de hortaliças e frutas 35 a 40% e de carne 10 a 15%.
- Os cereais devem ser integrais e constituir 50% da alimentação.

Pode parecer desproporcionalmente grande a porcentagem dos vegetais, mas se observarmos o chimpanzé, animal que tem os genes mais parecidos com os do homem (semelhança de 98,7%), veremos que ele tem uma alimentação 95,6% vegetariana, cuja composição é 50% de frutas, 45,6% de nozes, tubérculos e raízes e o restante é de origem animal, que consiste basicamente em insetos, como formigas. Ele nem sequer come peixe.

Examinado o sistema gastrintestinal dos chimpanzés com um endoscópio, notei que ele é tão semelhante ao do homem que, apenas olhando, não é possível distinguir um do outro. O que mais me surpreendeu foram as características intestinais saudáveis que eles apresentavam.

Os animais selvagens, ao contrário dos humanos, morrem imediatamente quando ficam doentes. Instintivamente, sabem que o alimento é a base da vida e que protege a sua saúde.

Acredito que os humanos precisem aprender com a natureza e, com mais humildade, retornar aos fundamentos básicos da alimentação.

POR QUE A MASTIGAÇÃO E A MODERAÇÃO FAZEM BEM À SAÚDE

No Capítulo 1, falei que o alimento bem mastigado era melhor para a digestão do que o mingau, que não precisa ser mastigado. Mas há muitos outros benefícios na boa mastigação, o maior deles é a economia de enzimas-fonte.

Sempre tento mastigar cada bocado de 30 a 50 vezes. Quando mastigo alimento normal, ele se transforma em um mingau que desce pela garganta sem muito esforço. Mas, quando como alimentos rígidos ou que não digerem bem, mastigo de 70 a 75 vezes. O corpo humano é projetado de tal maneira que quanto mais se mastiga o alimento, mais as glândulas salivares secretam saliva. A saliva é importante porque, bem misturada com ácido gástrico e bile, proporciona uma digestão sem problemas.

A parede do intestino humano consegue absorver substâncias de até 15 mícrons (0,015 milímetro), e qualquer coisa que ultrapasse essa medida é excretada. Assim, a maior parte do alimento que não for bem mastigado será eliminada sem ser absorvida.

Quando digo isso, as mulheres jovens costumam raciocinar que se o alimento não é absorvido elas não engordam. Mas, a situação não é simples assim. Os alimentos que não são digeridos nem absorvidos são decompostos e fermentados no intestino da mesma maneira que o excesso de comida. A decomposição origina várias toxinas, que exaurem grandes quantidades de enzimas.

Ademais, como existe uma diferença nos índices de absorção de alimentos de fácil digestão e de difícil digestão, a carência de determinados nutrientes persiste mesmo com uma alimentação balanceada. Há o risco específico de perda de elementos-traço.

Ultimamente é cada vez maior o número de pessoas que engordam devido ao excesso de calorias, mas, que, ainda assim, têm falta de nutrientes essenciais. Normalmente, esse aumento de peso é causado por uma combinação de alimentação desequilibrada com mastigação deficiente, o que acarreta má digestão e má absorção dos alimentos.

A boa mastigação é, na verdade, ainda mais necessária àqueles que querem emagrecer, pois as refeições demoram muito mais. Durante a ingestão dos alimentos, o nível de açúcar no sangue aumenta e o apetite diminui, o que ajuda a comer menos. Mastigando bem, a sensação de saciedade chega mais rápido. Desse modo, não é preciso empregar tanta força de vontade para conseguir reduzir a quantidade de comida; o apetite e a fome diminuem naturalmente.

Outro benefício de mastigar bem é o extermínio dos parasitas. Hoje em dia, não vemos insetos nas verduras, mas ainda há muitos parasitas no bonito, na lula e nos peixes de água doce. São extremamente pequenos e quando não são bem mastigados, são engolidos no estado em que se encontram, passando a viver nos órgãos internos da pessoa que os consumiu. Entretanto, mastigar esses alimentos entre 50 e 70 vezes pode matar esses parasitas na boca.

Ao escolher bons ingredientes para as refeições, naturalmente a opção deverá ser por verduras e legumes orgânicos e peixes criados em ambientes selvagens, em vez de cultivados. Esses alimentos podem ter muitos insetos por serem criados de forma natural, mas não é preciso temer parasitas e insetos quando se sabe que a boa mastigação protege contra qualquer dano em potencial.

Algumas pessoas acham que quanto mais se mastiga, mais saliva é secretada e um maior número de enzimas é usado. Mas não é o que acontece. A mastigação dos alimentos reduz o número de enzimas necessárias à sua digestão no estômago, além de inibir o apetite de forma natural. Quando a quantidade de alimentos diminui, o número de enzimas usadas na digestão e na absorção também diminui. Portanto, considerando-se o corpo como um todo, a boa mastigação economiza enzimas.

Isso significa que o processo de digestão não precisa recorrer às enzimas-fonte, restando uma quantidade maior para ser usada na homeostase, na desintoxicação, no reparo e no suprimento de energia do corpo. Desse modo, a resistência corporal e o sistema imunológico melhoram, propiciando uma vida mais longa.

Além disso, quando os alimentos não são ingeridos em excesso, a maior parte deles será totalmente digerida e absorvida, reduzindo a probabilidade de putrefação de alimentos não absorvidos e de formação de toxinas no intestino. Também não haverá necessidade de usar enzimas para desintoxicação. O fato é que, em seis meses, a Alimentação e o Estilo de Vida do Fator Enzimático trarão muitos benefícios ao estômago e ao intestino, além de eliminar os odores desagradáveis de gases e fezes.

Não importa a boa qualidade do alimento ou o quanto os nutrientes possam ser indispensáveis, a ingestão excessiva de alimentos causa danos à saúde. O ideal é adotar uma alimentação balanceada, consumir alimentos naturais e frescos e mastigar bem. Com isso, as enzimas-fonte serão preservadas, propiciando uma vida longa e saudável.

NÃO É POSSÍVEL SER SAUDÁVEL COMENDO ALIMENTOS COM GOSTO HORRÍVEL

Neste capítulo, falei sobre os alimentos que ajudam a sustentar a vida e os que fazem mal à saúde. A diferença entre eles está nas enzimas e no frescor. Também falei dos alimentos devidamente equilibrados que fazem bem à saúde e como consumi-los.

Durante o processo evolutivo, o homem aprendeu a cozinhar sua comida. Também aprendeu a saborear e a conservar vários tipos de alimentos. O problema é que, no processo de cozimento, muitas enzimas preciosas se perdem.

Na vida selvagem, nenhum animal come comida cozida. Também não comem alimentos refinados ou processados. Assim, alguns pesquisadores da área de alimentação e saúde defendem o abandono total dos alimentos processados e o retorno aos alimentos crus.

Entretanto, não acredito que essa seja a abordagem correta. Para que uma pessoa tenha uma vida saudável, é importante que ela tenha a sensação de prazer e bem-estar. Para os seres humanos, os alimentos são uma grande fonte de prazer. Não é possível ser saudável quando somos obrigados a comer alimentos com gosto ruim.

Portanto, a Alimentação e o Estilo de Vida do Fator Enzimático aliam ambos, o prazer da comida e a alimentação apropriada, como fatores importantes à saúde. Reiterando os pontos principais da alimentação e do estilo de vida que recomendo:

- A proporção de alimentos de origem vegetal e de origem animal deve ser 85 a 90% e 10 a 15%, respectivamente.
- Os grãos devem constituir 50% dos alimentos; hortaliças e frutas 35 a 40% e alimentos de origem animal 10 a 15%.
- Os grãos não devem ser refinados e, no total, devem constituir 50% da refeição.
- Os alimentos de origem animal devem ser provenientes de animais que tenham a temperatura corporal mais baixa do que a do homem, como os peixes.
- Os alimentos devem ser frescos e não refinados, se possível na forma natural.
- O leite e seus derivados devem ser evitados o máximo possível (pessoas com intolerância à lactose, predisposição a alergias ou que não

gostam de leite e seus derivados devem evitar esses alimentos sumariamente).

- A margarina e a fritura devem ser evitadas.
- Os alimentos devem ser bem mastigados (40 a 70 vezes cada bocado) e as refeições devem ser pequenas.

Não será muito difícil manter o prazer das refeições se o mecanismo do corpo humano e as leis da natureza e esses pontos mais importantes forem respeitados. A maneira mais fácil de fazer isso é criar o hábito na infância.

Se você tem prazer em comer, não há nenhum problema em comer um bife grosso, um queijo ou beber álcool de vez em quando. Se você relaxar 5% do tempo e permanecer atento nos outros 95%, as enzimas-fonte continuarão a proteger sua saúde, que resulta do acúmulo de hábitos de longo prazo.

O importante é adotar um estilo de vida saudável, duradouro e *prazeroso*.

CAPÍTULO 3

Hábitos dos ricos e saudáveis

Sempre há uma razão para as pessoas ficarem doentes. Seus hábitos alimentares são desorganizados, a maneira como comem é errada, o estilo de vida que adotam é caótico ou a soma de tudo isso.

A partir de 1990, os índices de câncer e de morte por câncer nos Estados Unidos começaram a cair. Acredito que isso esteja acontecendo porque, depois da apresentação do relatório McGovern em 1977, o governo norte-americano publicou diretrizes para uma alimentação adequada que, aos poucos, foram penetrando na sociedade do país.

Atualmente, nos Estados Unidos, quanto mais elevado o nível social das pessoas, maior a seriedade com que elas encaram a sua alimentação. Os hábitos alimentares dos norte-americanos de maior poder aquisitivo, ou da chamada "classe alta", são muito saudáveis hoje em dia. Essas pessoas estão comendo mais frutas e hortaliças, e as carnes gordurosas são cada vez mais raras em suas mesas. Assim, nessa faixa da sociedade há menos pessoas acima do peso, embora a obesidade tenha atingido proporções epidêmicas na sociedade norte-americana. Dizem que, nos Estados Unidos, uma pessoa obesa não consegue chegar à presidência de uma empresa, pois, como ela não consegue administrar nem a própria saúde, é provável que também não consiga administrar uma empresa.

Qual o motivo da distância entre os hábitos alimentares da classe socioeconômica elevada e os das outras classes?

Um dos problemas é o custo. O custo dos alimentos mais frescos, como hortaliças e frutas, bem como de alimentos orgânicos cultivados sem agrotóxicos ou fertilizantes químicos, é muito elevado. Normalmente, quanto melhor o alimento, mais alto o preço. Sendo assim, atualmente existe uma separação entre a classe rica e saudável e a maioria não saudável dos Estados Unidos. Não acredito que essa tendência se reverta, uma vez que os hábitos alimentares de cada classe social passam de pai para filho.

A MAIORIA DAS DOENÇAS É CAUSADA PELOS HÁBITOS, E NÃO PELA HEREDITARIEDADE

Existem muitas pessoas que, ao atingir a meia-idade ou a velhice, desenvolvem as mesmas doenças que seus pais, como diabetes, hipertensão, doenças cardíacas e câncer. Quando isso acontece, alguns dizem: "Eu ter câncer era inevitável, pois na nossa família é comum." Não vou negar a participação dos fatores genéticos, mas uma das grandes causas das doenças hereditárias é a herança dos hábitos causadores da doença.

Os hábitos da dona de casa são impressos no subconsciente dos filhos à medida que eles crescem. A preferência por determinados alimentos, métodos de cozimento, estilos de vida e valores varia de família para família, mas pais e filhos que vivem no mesmo ambiente doméstico compartilham praticamente as mesmas preferências. Em outras palavras, os filhos são mais propensos a desenvolver as mesmas doenças dos pais, não porque herdam os genes causadores da doença, mas porque herdam os hábitos de vida que favorecem o aparecimento da doença.

Se os filhos herdarem bons hábitos, como a opção por ingredientes frescos e água de boa qualidade, adotarem um estilo de vida apropriado e não tomarem medicamentos terão mais facilidade para se manter saudáveis. No entanto, a herança de maus hábitos, como o consumo de grandes quantidades de alimentos oxidados, o alto consumo de medicamentos e um estilo de vida inadequado, provavelmente afetará a saúde dos filhos ainda mais do que afetou a dos pais.

Portanto, as crianças herdam os hábitos dos pais, tanto os bons como os maus. Adultos que desde pequenos foram ensinados por seus pais a tomar leite porque faz bem, provavelmente estejam tomando leite até hoje porque as palavras dos pais ficaram gravadas em suas mentes. Somente com uma reflexão cuidadosa sobre nossos hábitos, tendo como referência as melhores informações nutricionais e assumindo a responsabilidade por nossa alimentação, é que conseguiremos transmitir mais saúde para a próxima geração.

OS HÁBITOS MODIFICAM OS GENES

Quanto mais velhos ficamos, maior a dificuldade de mudar nossos hábitos. Além dessa dificuldade imposta pela idade, os hábitos gravados em nossa mente quando éramos jovens costumam perdurar pela vida toda. Por isso, é importante incutir bons hábitos na mente das crianças desde muito cedo.

A educação infantil é objeto de muitas pesquisas, porém quase todas focalizam o desenvolvimento cerebral e o aprimoramento das habilidades de concentração das crianças, às vezes tão pequenas que ainda nem sequer têm a capacidade de se lembrar das coisas. No entanto, na área de conscientização dos problemas de saúde quase não há estudos. O desenvolvimento intelectual é importante para os fins educacionais e sociais, porém o conhecimento profundo de como os hábitos alimentares são impressos na mente das crianças não é menos importante. Ainda que frequentem boas escolas, as crianças não conseguirão ter uma vida plena se não tiverem um organismo saudável.

A maioria dos norte-americanos come em lanchonetes ou restaurantes, delega aos médicos a responsabilidade de cuidar de sua saúde e sabe muito pouco a respeito dos medicamentos que toma. Como médico, observo que é grande o número de pessoas que não conhecem quase nada sobre medicamentos. Acredito que a saúde seja basicamente determinada pelos hábitos e pelo estilo de vida herdados dos pais.

Por exemplo, se os pais têm falta de enzimas para degradar o álcool, o filho também terá. No entanto, se o filho for aumentando gradativamente o consumo de álcool, o número de enzimas usadas pelo seu fígado também aumentará e, com o tempo, ele acabará consumindo bebida alcoólica em quantidade razoável. Em suma, o filho pode desenvolver sua tolerância ao álcool.

Isso é particularmente verdadeiro se os pais, que não tinham enzimas suficientes para decompor o álcool, acabarem desenvolvendo tolerância. É provável que os filhos desses pais acreditem que também podem desenvolver tolerância se continuarem insistindo. Por outro lado, se os filhos virem os pais, que não têm tolerância ao álcool, abster-se de beber, provavelmente aceitarão o fato de que também não podem beber.

Talvez esse não seja o melhor exemplo, mas a verdade é que os bons hábitos se sobrepõem aos maus genes.

Ainda que o pai tenha os genes do câncer, se o filho cuidar da própria saúde, adotar um estilo de vida saudável e viver a vida de maneira natural, ensinará aos seus próprios filhos que tais genes não precisam necessariamente levar ao câncer, além de ensinar-lhes a prevenção dessa doença. Assim como os hábitos alimentares e o estilo de vida passam de geração para geração, "os genes do câncer" certamente enfraquecerão de uma geração para outra. Em outras palavras, a herança de bons hábitos pode "modificar" os genes.

O fato de algumas crianças terem sido criadas sem o leite materno não quer dizer que terão uma saúde frágil na idade adulta. Crianças alimentadas com mamadeira, porque a mãe não consegue amamentá-las, desenvolvem alergias com mais facilidade do que as outras. No entanto, depois de terem abandonado a mamadeira, se adotarem uma boa alimentação e hábitos saudáveis, não desenvolverão doenças relacionadas ao estilo de vida quando envelhecerem.

Por outro lado, se as crianças amamentadas com leite materno, que é o mais saudável, mais tarde adotarem maus hábitos, como consumo elevado de carne, derivados do leite e alimentos oxidados com aditivos, ficarão suscetíveis a doenças.

As pessoas nascem com determinado número de fatores hereditários, mas, com força de vontade, os hábitos podem ser mudados. São eles que determinam a transformação dos fatores hereditários em positivos ou negativos. Os mesmos hábitos que salvam uma pessoa também podem salvar a sua próxima geração.

OS PIORES HÁBITOS SÃO O ALCOOLISMO E O TABAGISMO

Os médicos ainda são muito dependentes de cirurgias e medicamentos, e parece que são poucos os que tentam conscientizar seus pacientes a respeito de hábitos alimentares, apesar de saberem que o câncer, a cardiopatia, o diabetes e muitas outras doenças estão amplamente relacionados à alimentação.

No entanto, mesmo com a melhora marcante da alimentação, somente isso não será suficiente para impedir totalmente o desenvolvimento de algumas doenças, pois, além da alimentação, existem muitos outros fatores capazes de exaurir as enzimas-fonte. Para proteger a saúde, além da alimentação adequada, é preciso o desejo consciente de eliminar outros hábitos prejudiciais.

Os piores hábitos são o alcoolismo e o tabagismo. Eles são os piores porque causam dependência, e muitas pessoas não conseguem passar um dia sem consumir bebida alcoólica ou fumar.

É possível reconhecer um fumante só pelo seu rosto. A pessoa que fuma tem uma pele cinzenta peculiar. Essa cor acinzentada deve-se à impossibilidade de excretar os resíduos e as substâncias em decomposição, além da constrição dos capilares, que impede o fornecimento de oxigênio às células.

Resumindo, a cor acinzentada decorre do acúmulo de toxinas nas células da pele.

Quando o assunto são os males do tabagismo, o foco normalmente recai sobre o acúmulo de alcatrão nos pulmões. Mas, igualmente grave e prejudicial ao organismo é a constrição dos capilares do corpo todo. Quando os capilares se contraem, os líquidos não conseguem fluir pelo corpo. Se os líquidos não fluem, não conseguem transportar os nutrientes a todas as partes do corpo nem fazer a coleta de todos os resíduos excretados. Consequentemente, os resíduos se acumulam e se degradam, dando origem a toxinas. O tom escuro da pele é fácil de ver, porém, as mesmas coisas estão ocorrendo no interior do corpo, principalmente nas partes ligadas às extremidades dos capilares.

Os vasos sanguíneos de uma pessoa que tem o hábito de consumir álcool se contraem da mesma maneira que os de um fumante. Existe a crença de que uma pequena quantidade de álcool dilata os vasos sanguíneos e melhora a circulação sanguínea, mas dependendo do tipo de bebida alcoólica, o vaso sanguíneo só fica dilatado durante duas a três horas. O fato é que, na verdade, essa "dilatação dos vasos" acaba provocando constrição. Depois da ingestão de bebida alcoólica, os vasos sanguíneos se dilatam repentinamente. O organismo tenta reagir a essa dilatação repentina dos vasos contraindo-os. A constrição impede a absorção dos nutrientes e a excreção dos resíduos, levando aos mesmos problemas causados pelo tabagismo.

Desse modo, o alcoolismo e o tabagismo originam grandes quantidades de radicais livres no organismo. E o que consegue neutralizá-los são o agente antioxidante SOD e as enzimas antioxidantes, como catalase, glutationa e peroxidase. Sabe-se que o hábito de fumar destrói grandes quantidades de vitamina C, que é um agente antioxidante.

Para neutralizar os radicais livres, são necessárias grandes quantidades de enzimas antioxidantes. Como se não bastassem os radicais livres gerados pelos fatores da vida cotidiana que escapam ao nosso controle — como as ondas eletromagnéticas e a poluição ambiental — as pessoas ainda consomem deliberadamente coisas, como o tabaco e o álcool, que poderiam evitar. A produção de grandes quantidades de radicais livres significa o consumo das preciosas enzimas-fonte.

As enzimas se esgotam rapidamente com o uso contínuo, da mesma maneira como uma pessoa que não paga a fatura do cartão de crédito entra rapidamente na relação de inadimplentes. Boa alimentação e bons hábitos são a mesma coisa que economizar dinheiro. Mas, se o inadimplente continuar gastando grandes somas diárias, a dívida se acumulará assustadoramente e os credores acabarão batendo à sua porta. No caso das enzimas, quem baterá à porta será a doença. O gasto contínuo sem o pagamento da dívida acarretará a falência. Em termos de saúde, a falência é mais grave do que a financeira. Ela resulta em morte.

HÁBITOS QUE PODEM CURAR A SÍNDROME DA APNEIA DO SONO

Muitas pessoas têm hábitos que causam doenças. No entanto, algumas podem ser curadas se os hábitos forem alterados. Um exemplo de cura pela mudança de hábito é o da síndrome da apneia do sono, que ultimamente tem sido alvo das atenções.

A síndrome da apneia do sono é uma doença em que a respiração é interrompida de maneira intermitente durante o sono. Quando dormimos, nossos músculos relaxam, e o palato duro abaixa e estreita o trato respiratório, interrompendo a respiração temporariamente e provocando uma sensação de asfixia. Como esses episódios são frequentes durante a noite, a qualidade do sono fica muito prejudicada, o que provoca excessiva sonolência diurna e dificuldade de concentração.

Esse transtorno não oferece risco de morte por asfixia durante o sono. Todavia, além de deprimir as funções imunológicas e metabólicas, o sono fragmentado representa uma sobrecarga para o sistema circulatório, aumentando a possibilidade de cardiopatia ou acidente vascular cerebral em 3 a 4 vezes, o que a torna uma doença grave.

Setenta a oitenta por cento dos portadores dessa doença são obesos. No início, pensava-se que a obesidade causava a apneia do sono por estreitar o trato respiratório, mas as pesquisas não confirmam essa relação.

Existem três classificações para a apneia: "apneia obstrutiva", quando o trato respiratório fica obstruído; "apneia central", quando a atividade do centro respiratório diminui; e "apneia mista", que é uma mistura dos dois primeiros tipos. De fato, há um método fácil para curar a "apneia obstrutiva", que é a mais comum das três. O método consiste em não comer nada quatro ou cinco horas antes de dormir. Em palavras mais simples, para curar a apneia do sono, deve-se dormir com o estômago vazio.

A traqueia humana é projetada de maneira a permitir somente a passagem do ar. No entanto, se houver alimentos no estômago durante o sono, esse conteúdo subirá do estômago para a garganta. Nesse caso, o trato respiratório se estreita e interrompe a respiração para impedir a entrada do conteúdo na traqueia.

O fato de a maior parte das pessoas que têm apneia ser obesa reforça minha hipótese. A ingestão de alimentos antes de dormir exige grandes quantidades de insulina, que sem fazer distinção entre proteína e carboidrato, transforma tudo em gordura. Assim, é muito mais fácil engordar quando se tem o hábito de comer tarde da noite, mesmo ingerindo-se alimento do tipo que não engorda. Em outras palavras, a síndrome da apneia do sono não é consequência da obesidade. Na verdade, o hábito de comer antes de dormir é que causa a apneia do sono e a obesidade.

Comer antes de dormir é um péssimo hábito.

Algumas pessoas costumam tomar uma dose de bebida alcoólica antes de se deitar, pensando que é melhor fazer isso do que tomar remédio para dormir, mas esse hábito é perigoso. A bebida alcoólica pode dar a sensação de que facilita a chegada do sono, mas, na verdade, ela aumenta a probabilidade de interrupções intermitentes da respiração, que causam o declínio do nível de oxigênio no sangue. A falta de oxigênio no músculo cardíaco pode levar à morte pessoas que sofram de arteriosclerose e estreitamento das coronárias.

Muitas pessoas morrem de infarto do miocárdio ao amanhecer porque o refluxo ácido provocado pelo consumo de bebida alcoólica e comida antes de dormir pode causar obstrução do trato respiratório, irregularidade respiratória e redução do nível de oxigênio no sangue e no músculo cardíaco.

A ingestão de alimentos acompanhados de bebida alcoólica antes de dormir aumenta o risco de infarto, pois o álcool reprime o centro respiratório, reduzindo ainda mais o oxigênio do sangue. As pessoas que dispõem de poucas enzimas para decompor o álcool exigem atenção redobrada, pois o álcool permanece no sangue por mais tempo.

Algumas pessoas oferecem leite quente aos filhos na hora de dormir, achando que isso os ajudará a ter um bom sono, o que não é uma boa ideia. Mesmo que as crianças jantem por volta das seis horas, elas ainda terão alimento no estômago quando forem dormir, pois elas vão para a cama mais cedo do que os adultos. Tomar leite depois do jantar aumenta ainda mais a probabilidade de refluxo. A consequência será respiração irregular e até mesmo interrupções momentâneas da respiração. Quando a criança inspira profundamente, inala leite, que pode facilmente transformar-se em alérgeno. Na verdade, acredito que essa seja uma das causas da asma infantil.

Embora essa teoria ainda precise ser comprovada, os dados de meus pacientes revelam que muitos portadores de asma na infância eram colocados na cama logo após o jantar ou ingeriam leite antes de dormir.

O hábito de dormir de estômago vazio previne doenças, como asma infantil, síndrome da apneia do sono e infarto do miocárdio.

Se, no entanto, não for possível suportar a fome à noite, a melhor opção é comer uma fruta fresca com alto teor de enzima cerca de uma hora antes de dormir. As enzimas das frutas são extremamente digestivas e levam 30 a 40 minutos para chegar ao intestino. Portanto, se a fruta for consumida uma hora antes de dormir, não haverá nenhum motivo para preocupação.

BEBA ÁGUA UMA HORA ANTES DAS REFEIÇÕES

Um de meus "bons hábitos" é tomar cerca de meio litro de água uma hora antes das refeições.

As pessoas costumam dizer que faz bem tomar muita água todos os dias, mas assim como há a hora certa para as refeições, também há a hora certa para beber água. Tenho certeza de que as pessoas que cultivam plantas entenderão o que quero dizer. O excesso de água apodrece as raízes, fazendo com que as plantas murchem e morram. As plantas devem ser regadas na hora certa e na quantidade adequada, e o mesmo deve acontecer com os seres humanos em relação ao consumo de água.

A maior parte do corpo humano é composta por água. Nos bebês e nas crianças pequenas a porcentagem é de aproximadamente 80%, nos adultos 60 a 70% e nos idosos 50 a 60%. Os bebês têm pele bonita por causa do elevado teor de água nas células. O corpo humano requer grande quantidade de água fresca e de boa qualidade.

A água que entra pela boca é absorvida pelo sistema gastrintestinal antes de ser distribuída a todas as células do corpo pelos vasos sanguíneos. O consumo abundante de água melhora o fluxo do sangue, promovendo um metabolismo eficiente. A água de boa qualidade também tem o efeito de reduzir o nível de colesterol e triglicerídeos do sangue. Assim, os adultos devem ingerir no mínimo 6 a 8 copos de água por dia, e os idosos no mínimo 5 copos.

Qual a hora certa para beber água?

O excesso de água antes das refeições preenche o estômago, reduzindo o apetite. A ingestão de água durante as refeições dilui as enzimas digestivas do estômago, dificultando a digestão e a absorção dos alimentos. Assim, se for impossível resistir à água durante as refeições, a quantidade não deve ultrapassar um copo.

Alguns médicos aconselham seus pacientes a beber água antes de dormir ou ao acordar durante a noite — mesmo que não tenham sede — para afinar o sangue. Entretanto, sou contra essa prática. Beber água antes de dormir pode causar refluxo. Mesmo que seja só água, se ela se misturar com o ácido gástrico e entrar na traqueia e nos pulmões, poderá causar pneumonia.

A maneira ideal de suprir o corpo é beber água de manhã ao acordar e uma hora antes de cada refeição. Se for somente água, ela passará do estômago para o intestino em 30 minutos e, consequentemente, não prejudicará a digestão nem a absorção.

É assim que distribuo a minha ingestão de água durante o dia:

- 1 a 3 copos de manhã ao acordar.
- 2 a 3 copos uma hora antes do almoço.
- 2 a 3 copos uma hora antes do jantar.

Obviamente, essa é apenas uma das maneiras de distribuir a ingestão de água. No verão, todos precisam de mais água, principalmente os que suam intensamente. Todavia, o excesso pode causar diarreia em pessoas que têm sistema gastrintestinal frágil. A quantidade certa de água depende do tamanho e da necessidade de cada um. Se seis copos causam diarreia, o melhor é reduzir para um copo e meio, três vezes ao dia, e ir aumentando a quantidade gradativamente.

No frio, é bom aquecer ligeiramente a água antes de ingeri-la. A ingestão deve ser lenta. A água fria esfria o corpo. Acredita-se que a temperatura corporal em que as enzimas se tornam mais ativas é em torno de 36 a 40°C. Sabe-se que se a temperatura corporal aumentar 0,17°C dentro desse limite, a eficiência do sistema imunológico aumentará 35%. Acredito que a febre costuma acompanhar as doenças porque a temperatura corporal mais elevada ativa as enzimas.

A ÁGUA E AS ENZIMAS-FONTE FORMAM UMA BOA PARCERIA

A água exerce muitas funções no organismo humano, mas a principal delas é a melhora do fluxo sanguíneo e do metabolismo. Ela também ativa as enzimas e a flora bacteriana do intestino, além de excretar os resíduos e as toxinas. A água de boa qualidade também elimina as dioxinas, os poluentes, os aditivos alimentares e os carcinógenos do organismo.

Por isso, as pessoas que não bebem muita água ficam doentes com mais facilidade.

Por outro lado, as pessoas que bebem água de boa qualidade em abundância ficam menos doentes. Quando a água umedece as áreas do corpo mais suscetíveis à invasão de bactérias e vírus, como os brônquios e a mucosa gastrintestinal, o sistema imunológico é ativado, dificultando essa invasão.

A falta de água, ao contrário, causa a desidratação e o ressecamento da mucosa brônquica. Assim, o catarro e o muco aderem às paredes dos brônquios, transformando-os em um solo fértil para bactérias e vírus.

A água não só está presente nos vasos sanguíneos como também desempenha um papel ativo nos vasos linfáticos, ajudando a preservar nossa saúde. Se os vasos sanguíneos são o rio do corpo humano, o sistema linfático é o cano de esgoto. Ele desempenha importantes funções de purificação, filtragem e transporte de excesso de água, proteínas e resíduos pela corrente sanguínea. Os vasos linfáticos contêm anticorpos chamados gamaglobulinas, que exercem funções imunológicas, e enzimas chamadas lisozimas, que têm efeitos antibacterianos. Para que o sistema imunológico funcione adequadamente, a água de boa qualidade é uma necessidade absoluta.

A água é vital para todas as partes do corpo. Sem a quantidade apropriada de água, o organismo não consegue se sustentar. É por isso que as plantas não crescem no deserto. Para crescer, elas precisam de luz solar, solo e água. Não bastam apenas luz solar e terra. Sem água a planta enfraquece e morre, porque não consegue absorver os nutrientes.

No ser humano, se a água não for distribuída adequadamente, não só ele ficará desnutrido, como também os resíduos e as toxinas se acumularão no interior das células sem serem eliminados. Em um cenário pior, as toxinas acumuladas danificarão os genes das células, fazendo com que elas se transformem em cancerosas.

Seja a melhora dos fluxos do sistema gastrintestinal, do linfático ou do sanguíneo, o fato é que a água tem funções muito importantes no organismo.

Fornecer nutrientes a 60 trilhões de células e receber e eliminar os seus resíduos são microfunções da água. Essas microfunções que produzem energia e decompõem os radicais livres também exigem a participação de muitas enzimas.

Em outras palavras, se a água não for distribuída com precisão para os 60 trilhões de células, as enzimas não serão capazes de realizar essas funções de maneira adequada. Para que elas funcionem bem, há necessidade não só de vários elementos-traço, como vitaminas e sais minerais, como também de um meio de transporte para esses nutrientes, ou seja, a água.

Além disso, estima-se que a quantidade média de água excretada por dia, incluindo o suor evaporado, corresponde a dez copos e meio. Obviamente, existe água nos alimentos, mas, mesmo levando isso em consideração, é necessário repor no mínimo seis ou sete copos de água por dia.

Quando digo às pessoas para beber líquido em abundância, algumas dizem: "Eu não bebo muita água, mas bebo muito chá e café." Para o corpo humano, no entanto, é muito importante a ingestão de água. Líquidos, como chá, café, bebida carbonatada e cerveja, em vez de hidratar o organismo, desidratam. O seu conteúdo de açúcar, cafeína, álcool e aditivos rouba líquidos das células e do sangue, tornando-o mais espesso.

É comum as pessoas tomarem um copo de cerveja nos dias quentes de verão ou depois da sauna. Embora a cerveja seja um meio refrescante de matar a sede, as pessoas de meia-idade e os idosos com colesterol alto, hipertensão ou diabetes têm maior probabilidade de sofrer infarto do miocárdio ou acidente vascular cerebral caso tentem repor com cerveja a água perdida na transpiração.

Devemos nos habituar a saciar a sede com água de boa qualidade, em vez de cerveja, chá ou café. É desse líquido que o corpo realmente precisa.

A "ÁGUA DE BOA QUALIDADE" É UMA ÁGUA COM BOAS CARACTERÍSTICAS DESOXIDANTES

Certamente, agora já é possível compreender a importância de beber água de boa qualidade. Mas talvez ainda seja necessário esclarecer o que significa água de boa qualidade.

Quando digo "água de boa qualidade", duvido que alguém pense que a água da torneira se encaixe nessa definição. Além do cloro, que é usado como desinfetante, a água da torneira também contém dioxinas e carcinógenos, como tricloroetileno e trifenilmetano. Esse tipo de água atende a determinados níveis de segurança quanto a essas substâncias, porém ainda contém toxinas.

A água da torneira é esterilizada com cloro, que é bactericida, porém, adicionado à água, produz grandes quantidades de radicais livres. Como eles matam os micro-organismos, as pessoas consideram a água "limpa" depois de receber cloro. Esse tipo de esterilização mata os micro-organismos, mas oxida a água.

O grau de oxidação da água pode ser medido pelo "potencial elétrico de redução e oxidação". A oxidação é um processo prejudicial à água, em que as moléculas perdem elétrons. A redução é o processo oposto, em que as moléculas ganham elétrons, melhorando a qualidade da água. Com base na medição desses elétrons é possível determinar se a água oxidará ou reduzirá outras substâncias. Por isso, quanto mais baixo o potencial elétrico, mais forte o poder de redução da água (isto é, o poder de reduzir outras substâncias); enquanto a água com potencial elétrico mais elevado terá maior probabilidade de oxidar outras substâncias. Então, como é possível encontrar "água de boa qualidade" e com alto poder de redução?

A água com alta capacidade de redução ("água de Kangen") pode ser gerada por meios elétricos. Existem purificadores por íons que criam esse tipo de água por meio de eletrólise.

Os purificadores por íons alcalinos e os purificadores por íons negativos também usam o mesmo mecanismo para produzir água com poder de redução, mas quando ocorre a eletrólise nesses dispositivos, minerais, como o cálcio e o magnésio, presentes na água ligam-se aos cátodos. Portanto, a água tratada eletricamente pode conter mais minerais. Além disso, a eletrólise produz hidrogênio ativo, que serve para remover o excesso de radicais livres do organismo. Esses purificadores removem o cloro e as substâncias químicas encontradas na água da torneira. O resultado é uma água pura, cristalina, alcalina e repleta de minerais, que chamo de "água de boa qualidade".

Ultimamente, tem-se falado sobre "agrupamentos" de pequenas moléculas da água como requisito de boa qualidade. Mas, no momento, as opiniões sobre essas moléculas estão divididas e ainda não há conclusão clara a esse respeito.

Em outras palavras, água boa significa água com forte poder de redução e livre de poluição por substâncias químicas.

Existem muitas marcas de água mineral, tanto nacionais como importadas. Entre os minerais encontrados na água, o cálcio e o magnésio têm especial importância para os seres humanos. Na verdade, o equilíbrio desses dois minerais é muito importante. O cálcio que entra no corpo não fica no líquido que circunda as células, mas permanece em seu interior. O acúmulo de cálcio no interior das células causa arteriosclerose e hipertensão. Entretanto, o consumo simultâneo da quantidade correta de magnésio pode evitar esse acúmulo. A proporção adequada de cálcio e magnésio é 2 para 1. A água das profundezas dos oceanos, que é rica em magnésio, é uma "água dura" que também pode ser chamada de "água de boa qualidade", pois, além de magnésio e cálcio, ela contém ferro, cobre, flúor e outros minerais.

A propósito, a dureza da água pode ser calculada usando-se a seguinte fórmula:

(Quantidade de cálcio x 2,5) + (Quantidade de magnésio x 4,1) = Dureza.

A água com valor mineral inferior a 100 é considerada "água mole" e superior a 100, "água dura". Mas essas águas minerais têm um problema que merece atenção. O armazenamento em garrafas PET ou plásticas por longo tempo diminui o seu poder de redução gradativamente.

Ademais, consumir somente água mineral engarrafada custa tempo e dinheiro. Para se ter água potável em abundância todos os dias tanto para beber como para cozinhar, o melhor é comprar um purificador com grande poder de redução.

Além disso, a ingestão de água gelada faz com que o corpo tente aquecê-la o mais rápido possível, usando vários meios para elevar a temperatura da água à do corpo. Na verdade, beber água pura e estimular os nervos simpáticos é uma das funções do sistema de produção de energia para elevar a temperatura corporal.

Entretanto, é preciso ter em mente que tentar aumentar o consumo de energia com a ingestão de água ou água gelada, que é fria demais, gera o efeito oposto. A água gelada esfria o corpo repentinamente, causando diarreia e outros problemas físicos.

Ultimamente, tem aumentado muito o número de casos de "hipotermia", principalmente entre os jovens. Nesses casos, a temperatura corporal média cai para 35°C, o que pode causar vários danos. A temperatura média de uma pessoa saudável é 37°C, mas quando ela cai, a taxa metabólica diminui 50%. Além disso, temperaturas corporais em torno de 35°C facilitam a multiplicação das células cancerígenas, pois elas reduzem a atividade enzimática e, consequentemente, as funções imunológicas do corpo. As temperaturas corporais mais elevadas facilitam o trabalho das enzimas. Na verdade, a febre é uma tentativa do organismo de melhorar as funções imunológicas. Assim, é mais seguro tomar água em torno de 20°C, a menos que seja verão.

BEBA MUITA ÁGUA DE BOA QUALIDADE PARA EMAGRECER

Na cidade de Nova York, é comum vermos pessoas obesas caminharem com uma garrafa de água na mão. Elas acreditam que beber muita água ajuda a emagrecer. A ideia de perder peso bebendo apenas água pode parecer falsa, porém ela guarda certa verdade.

A ingestão de água estimula os nervos do sistema nervoso simpático, ativa o metabolismo de energia e aumenta o consumo calórico, o que resulta em perda de peso. O estímulo dos nervos do sistema nervoso simpático provoca a secreção de adrenalina. A adrenalina ativa a lipase sensível a hormônio encontrada no tecido adiposo, que, por sua vez, decompõe os triglicerídeos em ácido graxo e glicerol, facilitando a queima de gordura pelo corpo.

Existem muitos estudos comprovando o aumento do consumo calórico conforme o consumo de água. Segundo esses estudos, beber cerca de dois copos de água três vezes ao dia aumenta a queima calórica do organismo em mais ou menos 30%. A taxa de queima calórica atinge seu ponto máximo cerca de 30 minutos depois da ingestão de água.

Esse fato deixa claro que as pessoas com excesso de peso devem adotar o hábito de beber cerca de seis copos de água de boa qualidade por dia. E qual a temperatura da água mais indicada para o emagrecimento? A água deve estar a uma temperatura mais baixa do que a do corpo, porém, sem estar gelada. Segundo experimentos, a temperatura da água que aumenta o consumo calórico é de cerca de 21°C. Temperaturas mais baixas obrigam o corpo a usar quantidades consideráveis de energia para deixar a água na temperatura em que ele esteja.

O corpo humano é equipado com vários meios para estabilizar a temperatura corporal. Por exemplo, urinar numa manhã de inverno logo depois de acordar produz um arrepio. Isso acontece porque o corpo tenta recuperar, com o arrepio, parte do calor perdido com a saída repentina da urina quente acumulada na bexiga.

AS ENZIMAS AJUDAM A EVITAR O EXCESSO DE COMIDA

Seja qual for a frequência da ingestão de água, não se deve esperar perda significativa de peso se não houver mudança nos hábitos alimentares. Essa mudança não requer necessariamente a redução da quantidade ingerida. Para perder peso, é importante comer alimentos ricos em enzimas.

Quando são ingeridos apenas alimentos ricos em enzimas, o peso do corpo se ajusta naturalmente ao que é mais conveniente para cada pessoa. As pessoas engordam porque consomem alimentos oxidados e processados sem nenhuma enzima. Elas sentem fome porque não comem alimentos que contêm os nutrientes de que o corpo realmente precisa — vitaminas, minerais e enzimas. Essas pessoas não comem porque precisam de mais alimentos, elas comem para saciar o intenso desejo do corpo por enzimas e elementos-traço, como vitaminas e minerais. Até as dores de estômago provocadas pela fome podem desaparecer quando se come alimentos ricos em enzimas.

Algumas pessoas, mesmo tendo enzimas suficientes, sentem fome porque elas têm carência de elementos-traço. Embora os elementos-traço sejam basicamente minerais e vitaminas, existem também outras substâncias indispensáveis chamadas coenzimas que regulam o trabalho das enzimas no organismo.

Recentemente, a coenzima Q 10 tem chamado a atenção dos estudiosos como algo que faz bem à saúde e à forma física. Entretanto, a Q 10 não é a única enzima de que os seres humanos precisam.

O número necessário de coenzimas é, de fato, muito pequeno. Antigamente, uma refeição bem equilibrada fornecia elementos-traço suficientes. Mas, hoje em dia, eles são cada vez mais raros nas frutas e hortaliças. Se a dor de estômago provocada pela fome persistir mesmo com a alimentação equilibrada, recomenda-se o uso de suplementos que contenham elementos-traço.

A tentativa de emagrecer deve levar em consideração não apenas a quantidade necessária de alimentos, mas também como e quando comer. A maioria das pessoas com sobrepeso não mastiga bem. Por essa razão, elas comem rapidamente, elevando o nível de açúcar no sangue, antes que o centro de saciedade tenha tempo de enviar um sinal dizendo que elas estão satisfeitas. Por isso, acabam comendo mais do que o necessário. Para começar a comer menos e de forma natural, basta mastigar 30 a 50 vezes.

Se, na hora de dormir, o estômago ainda contiver comida, seja proteína ou carboidrato, a maior parte dela será convertida em gordura pela insulina.

Nos Estados Unidos, as dietas pobres em carboidrato são bastante populares. É uma dieta em que as pessoas consomem pouquíssimo carboidrato. Mas os resultados dos experimentos demonstram que mesmo os alimentos pobres em carboidratos e ricos em proteínas, quando ingeridos tarde da noite, provocam ganho de peso da mesma maneira que os alimentos ricos em carboidratos. Isso acontece porque, quando os alimentos são ingeridos pouco antes de dormir, o organismo secreta grandes quantidades de insulina e os armazena como gordura. Em outras palavras, as dietas com baixo teor de carboidrato não são apenas ineficazes, como também deixam o organismo mais ácido, aumentando a possibilidade de osteoporose e outras doenças.

Por outro lado, uma pessoa magra demais não secreta insulina em quantidade suficiente, o que resulta na excreção de alimentos que não foram digeridos nem absorvidos. Ou seja, embora os resultados sejam exatamente opostos, a causa do excesso ou da falta de peso é a mesma.

Com a ingestão adequada de alimentos ricos em enzimas e de água de boa qualidade, não há necessidade de dieta para emagrecer ou engordar. O próprio corpo fará o ajuste necessário. A prova disso é que se uma pessoa magra demais tiver um estilo de vida saudável, ganhará peso até chegar ao seu peso normal.

Com a adoção de hábitos saudáveis e da Alimentação e do Estilo de Vida do Fator Enzimático, seu organismo naturalmente atingirá a condição ideal.

MÉTODO REVOLUCIONÁRIO PARA MELHORAR A FUNÇÃO INTESTINAL

Um dos problemas de saúde mais comuns às mulheres é a prisão de ventre. E é grande o número de pessoas que tomam laxantes quase todos os dias.

Entretanto, acredito que o excesso de medicação funcione como veneno. Quanto mais o intestino for estimulado com medicamentos, mais ele precisará de estímulos, que terão de ser cada vez mais intensos. As pessoas que tomam laxantes devem saber disso, porque no início, talvez apenas um comprimido seja suficiente para produzir os movimentos intestinais, mas com a repetição das doses, o laxante se torna menos eficaz, passando a exigir dois comprimidos, depois três ou até outro tipo de laxante de efeito mais forte.

A prisão de ventre é uma das causas das más características intestinais, portanto, requer solução rápida. Não importa o quanto o alimento seja bom, se não houver a excreção adequada, ele apodrecerá e produzirá toxinas no organismo. Quando ele atinge esse estado, o equilíbrio da flora bacteriana intestinal entra em colapso instantaneamente. O motivo pelo qual as pessoas têm espinhas e erupções cutâneas quando o intestino não funciona é porque as toxinas produzidas pelo intestino não conseguem ser eliminadas de maneira adequada.

A situação ideal é que os movimentos intestinais sejam bem regulados e de maneira natural. Para isso, além de uma alimentação rica em enzimas, é importante estimular o intestino com alimentos ricos em fibras, ingestão de água de boa qualidade, massagem abdominal durante o fluxo intestinal e reforço da musculatura abdominal.

Se, depois de tudo isso, não houver grande melhora, recomendo um enema. O tipo mais indicado é o enema de café, que envolve a limpeza do cólon com água e café, além de minerais e extratos que geram lactobacilos.

Muitas pessoas, no Japão, preocupam-se com a possibilidade de que o enema se torne um hábito e o intestino não consiga mais funcionar sozinho. Mas, segundo meus dados clínicos, não há motivo para preocupação. Ao contrário, o intestino das pessoas que regularmente se autoadministram enema é mais limpo e funciona melhor sem fezes estagnadas e compactadas.

Em contraposição, as paredes do intestino de pessoas que habitualmente usam laxantes, como substâncias químicas, fitoterápicos ou chás naturais, perdem a cor e tornam-se escuras. Quanto maior o uso de medicamentos, pior o estado dos intestinos, que gradualmente vão perdendo os movimentos. A ausência de movimento intestinal facilita a permanência de fezes compactadas no intestino, criando problemas.

Tenho um amigo médico que, apesar de saudável, faz dois enemas de café por dia. Não é por falta de movimentos intestinais, mas porque ele inevitavelmente ingere alimentos contendo substâncias que fermentam de maneira anormal ou permanecem no cólon sem ser digeridas, mesmo com excreção suficiente. É melhor para o organismo que as fezes sejam excretadas o mais rápido possível, principalmente as que ficam do lado esquerdo do cólon onde elas costumam acumular-se. Seguindo meu conselho, já faz cerca de vinte anos que meu amigo adotou o hábito de fazer o enema de café, e sua condição de saúde é melhor agora do que antes.

Eu mesmo faço enemas de café com frequência. Como o enema limpa somente o lado esquerdo do intestino grosso, ele não afeta as funções do intestino delgado, que é onde ocorrem a digestão e a absorção. Sendo assim, não há nenhum motivo para preocupação.

QUE HÁBITOS DE VIDA IMPEDEM O ESGOTAMENTO DAS ENZIMAS-FONTE?

As enzimas controlam a vida e a energia vital do ser humano. Até mesmo o ato de acordar e de dormir envolve a participação das enzimas. Se você dormir pensando na hora em que quer acordar no outro dia, certamente acordará naquele horário. Esse fato pode ser atribuído às enzimas, uma vez que o próprio ato de pensar não é mais do que as enzimas trabalhando no cérebro. Tudo o que uma pessoa faz, seja o movimento das mãos ou dos olhos ou o uso do cérebro, depende das funções enzimáticas.

O corpo humano foi projetado para manter a homeostase. A cicatrização de um corte e a recuperação da cor normal da pele depois do bronzeamento são exemplos do retorno do corpo à homeostase. As funções homeostáticas reagem com prudência à anormalidade e tentam devolver o organismo à sua saúde original e à situação de normalidade. Por isso, quando uma pessoa faz exercícios extenuantes, dorme às 3 horas da manhã em vez do horário habitual ou acorda às 4 horas em vez de às 6 da manhã como de costume, o corpo tenta se ajustar a essas condições anormais. O que ajuda no controle da homeostase são justamente as enzimas.

Se essas condições anormais ocorrem somente de vez em quando, o corpo consegue se ajustar a elas. Todavia, se elas se repetem com frequência, as enzimas-fonte se esgotam, destruindo o equilíbrio enzimático do organismo. Por isso, a vida regulada evita o consumo excessivo de enzimas-fonte.

As pessoas que ficam acordadas até tarde ou que têm um estilo de vida prejudicial à saúde consomem um número muito maior de enzimas-fonte. Acredito que a verdadeira causa de morte por excesso de trabalho seja o esgotamento total das enzimas-fonte.

Ser médico é uma tarefa difícil, mas desde que ingressei na medicina, há 45 anos, nunca faltei ao trabalho por causa de problemas de saúde. Meu estilo de vida não esgota minhas enzimas-fonte. Ao expor meu estilo de vida, não tenho a pretensão de que ele seja adotado por todos, pois cada pessoa tem seu próprio ritmo, e o meu pode não ser o melhor.

Mas, seja qual for o ritmo, a vida regulada é absolutamente necessária para a preservação da saúde. A seguir, relaciono as minhas atividades diárias. Ficarei muito feliz se entre elas você encontrar alguma dica que lhe seja útil.

MANHÃ

Acordo às 6 horas da manhã e começo meu dia com exercícios leves para as mãos e para os pés, que faço na cama. Depois de agitar ligeiramente as mãos e os braços, levanto-me da cama, abro as janelas e inspiro profundamente o ar fresco da manhã. Isso me permite substituir o ar viciado que acumulei no pulmão. Depois volto para a cama. Deitado de costas, faço alguns exercícios leves, levantando alternadamente primeiro os braços, depois as pernas e depois ambos os braços e ambas as pernas. Em seguida, faço um tipo de alongamento tradicional, que ativa lentamente a circulação sanguínea e os linfonodos.

Depois que meu sangue começou a circular, levanto-me da cama, faço 100 golpes de caratê de cada lado e, depois, cinco minutos de alongamento simples.

Terminando meus exercícios matinais, vou para a cozinha e lentamente tomo dois ou três copos de água de boa qualidade a uma temperatura de 21°C. Aproximadamente vinte minutos depois de beber a água, quando ela está entrando no intestino, como frutas frescas ricas em enzimas e, 30 a 40 minutos mais tarde, tomo o café da manhã.

O principal ingrediente do meu café da manhã é arroz integral acrescido de cinco, seis ou sete tipos de grãos. Como acompanhamento, como verduras e legumes cozidos no vapor, *natto* (soja fermentada), *non* (alga desidratada) e um punhado de alga *wakame* reconstituída.

TARDE

Um pouco depois das 11 horas da manhã, bebo cerca de dois copos de água. Trinta minutos mais tarde, como frutas, quando estão disponíveis.

Muitas pessoas comem fruta como sobremesa, mas recomendo que elas sejam consumidas trinta minutos antes das refeições sempre que possível. Frutas frescas são ricas em enzimas e de fácil digestão, por isso, ingeridas antes das refeições, elas ajudam as funções do sistema gastrintestinal e elevam a taxa de açúcar no sangue, evitando o excesso de comida.

Mesmo durante as refeições, a ingestão de alimentos crus, como saladas, ajuda na digestão. É por isso que a salada é servida na entrada e as proteínas animais, como carne e peixe, são servidas na refeição principal. Como nem todas as hortaliças podem ser ingeridas cruas, costumo comê-las cozidas também. No entanto, quando cozidas demais elas perdem as enzimas. Então, cozinho as verduras e os legumes no vapor ou escaldo-os durante dois minutos.

Meu almoço consiste basicamente em uma refeição que levo de casa e que eu mesmo preparo. Sim, ocasionalmente saio para almoçar com amigos, mas em geral meu almoço é a comida que preparei em casa, consistindo em arroz integral e vários grãos.

Depois da refeição, tiro um cochilo de 20 a 30 minutos. Com esse pequeno repouso, a fadiga da manhã desaparece, e posso começar o trabalho da tarde com a mente clara.

NOITE

Depois do almoço, tento não comer nenhum lanche. Por volta das quatro e meia da tarde, tomo dois copos de água novamente. Espero trinta minutos para comer frutas e mais 30 a 40 minutos para jantar.

Como muita fruta diariamente. Na minha opinião, as frutas devem ser consumidas à vontade.

Meu jantar é preparado com ingredientes frescos ingeridos imediatamente após o cozimento e depois de muito bem mastigados. Meu jantar não é muito diferente do meu café da manhã.

Em minha casa, quase não falamos durante as refeições para podermos mastigar bem a comida. Quando conversamos, só o fazemos depois de ter engolido completamente o alimento. É importante lembrar-se de falar somente quando não houver nada na boca. Isso não só faz parte das boas maneiras como também impede a entrada de ar junto com o alimento, evitando que ele tome o caminho errado.

Não há problemas em beber alguma coisa depois da refeição, mas sempre que possível, evito chá-verde e café. Em vez disso, tomo chá orgânico, chá de trigo-sarraceno ou chá de cevada. Contudo, em relação ao chá de trigo-sarraceno ou de cevada, é preciso lembrar que, por serem torrados, eles devem ser armazenados de maneira a impedir a oxidação. O ideal seria beber o chá logo depois de torrado, mas como a correria do dia a dia não nos permite isso, devemos armazenar somente pequenas quantidades de chá, que deve ser consumido o mais rápido possível depois de aberta a embalagem.

Depois do jantar, das 18h às 18h30, não como mais nada nem tomo água até a hora de ir para a cama cinco horas mais tarde. No verão, quando tenho sede, bebo apenas a quantidade de água suficiente para saciá-la (um copo) e, no máximo, uma hora antes de dormir. Mas é melhor evitar o consumo de água tarde da noite.

TIRE COCHILOS REVIGORANTES DE CINCO MINUTOS REGULARMENTE

Depois do almoço, costumo dormir 20 a 30 minutos, mas quando me sinto cansado em outros momentos, tiro cochilos revigorantes de cinco minutos.

O mais importante nesses cochilos é descansar em uma posição relaxante. Costumo relaxar curvado sobre o ventre, mas quem relaxa com facilidade, também pode dormir em uma cadeira com as pernas elevadas.

Talvez alguém tenha curiosidade de saber como é possível livrar-se da fadiga em 20 ou 30 minutos. Esse pequeno repouso funciona porque permite ao corpo reequilibrar-se — homeostase. O repouso e o sono restabelecem as funções do corpo que estão fragilizadas, como o fluxo sanguíneo e o fluxo linfático, além de normalizar o sistema nervoso e as secreções internas.

Por que o repouso melhora a homeostase do organismo? Apesar de ser somente uma teoria, acredito que a razão seja a seguinte:

Quando o corpo está desperto e ativo, ele usa muitas enzimas. Quando ele está em repouso, em uma posição relaxada, suas várias funções também repousam, e as enzimas, que seriam usadas em atividades ou movimentos, podem atuar nas áreas fatigadas ajudando a restabelecer o vigor e a homeostase.

O fato é que, um repouso de cinco ou dez minutos quando se está cansado ou com sono propicia uma recuperação mais rápida, e a insistência em trabalhar nessas condições é contraproducente. Recentemente, as empresas começaram a reconhecer a eficácia do cochilo e algumas chegam a oferecer a seus funcionários um local para uma soneca revigorante.

Em minha clínica, o período entre meio-dia e 1 hora da tarde é reservado para o repouso. Como se sabe, nesse ambiente, nem todos conseguem descansar à mesma hora, por isso meus funcionários almoçam e cochilam em turnos. Durante esse tempo, se houver um telefonema para uma pessoa que esteja descansando, ela não atenderá ao telefone, a não ser que seja uma emergência. Portanto, se alguém der uma olhada na parte dos fundos de minha clínica, verá médicos e enfermeiros repousando, cada um na posição que ache mais conveniente.

O sono desempenha um papel muito importante na manutenção do ritmo do corpo humano. É fácil compreender por que a vida regulada é sinônimo de deitar e acordar cedo. Se os horários de dormir e acordar, bem como os horários das refeições e dos cochilos, forem obedecidos, será mais fácil para o organismo realizar a homeostase sem consumir as enzimas-fonte de modo excessivo.

Hoje, meu maior problema é o fuso horário. Basicamente, vivo em Nova York, mas vou ao Japão duas vezes por ano, lá permanecendo dois meses a cada viagem. Entretanto, sempre tenho problemas para lidar com a diferença de horário (13 a 14 horas) entre Nova York e o Japão.

Como meu ritmo biológico muda completamente entre o dia e a noite, meu corpo sempre leva cerca de duas semanas para se acostumar à nova situação. Observei que esse é o tempo necessário à adaptação completa de minhas funções renais, hepáticas e gastrintestinais.

A melhor hora para dormir é aquela em que o sono chega de forma natural, obedecendo ao ritmo do corpo. Existem pessoas que tomam medicamentos para dormir, porém esses medicamentos têm efeito direto sobre o cérebro e são muito perigosos. Eles consomem um grande número de enzimas do cérebro, o que pode provocar uma predisposição à senilidade ou ao Alzheimer. Se você for uma dessas pessoas que tomam remédios para dormir e observou que ultimamente está tendo problemas de memória, esse é um sinal de perigo. Em nenhuma circunstância os medicamentos devem ser tomados de forma displicente.

A vida regulada e os cochilos revigorantes durante o dia dispensam o uso de medicamentos. O corpo estará sempre equilibrado e o sono virá naturalmente à noite.

EXCESSO DE EXERCÍCIO NÃO TRAZ BENEFÍCIOS E CAUSA MUITOS DANOS

O exercício moderado é necessário à vida saudável. Como já disse anteriormente, também faço minha própria versão de exercício toda manhã.

O corpo humano tem cinco "fluxos": sanguíneo e linfático, gastrintestinal, urinário, aéreo e de energia interna ("chi"). É importante que esses fluxos não sejam interrompidos, e o que permite isso é o exercício físico.

A movimentação do corpo melhora a circulação sanguínea e o fluxo linfático. Ela ativa o metabolismo, facilita a distribuição de vitaminas e sais minerais pelo corpo todo e cria um ambiente mais favorável para o trabalho das enzimas. Como resultado, todas as funções orgânicas melhoram.

Contudo, para trazer benefícios, o exercício precisa ser feito na quantidade certa.

Exercício demais, na verdade, pode prejudicar a saúde, pois quanto mais exercício, maior a produção de radicais livres no organismo. Acredito que esse seja o motivo pelo qual as pessoas têm morte súbita por infarto durante o *jogging*. Muitas mulheres fazem corrida leve todos os dias, mas as corredoras jovens, com idade na casa dos 20 anos e que correm cerca de 10 km por dia, ficam extremamente magras e com nádegas e seios flácidos. Em alguns casos, o ciclo menstrual é interrompido como consequência da produção insuficiente de hormônios femininos.

O excesso desestabiliza a homeostase do corpo. A moderação é essencial para a saúde. Moderação, nesse caso, não significa cortar a carga de exercício pela metade, e sim fazer de acordo com a condição física, o estilo de vida e a saúde mental de cada um. Portanto, a moderação difere de pessoa para pessoa. O exercício moderado que faço todas as manhãs foi criado para reunir muitas coisas que eu já testara antes. Se pessoas que normalmente não se exercitam, começarem a fazer exercício como eu faço, sobrecarregarão seus músculos e articulações. Como o stress produz grandes quantidades de radicais livres no organismo, o exercício que causa stress não traz benefícios à saúde.

Conforme já afirmei, a moderação é diferente para cada pessoa. Com base nessa premissa, eu diria que, em termos gerais, o ideal é caminhar entre 1,5 e 3 quilômetros por dia, respeitando o ritmo de cada pessoa. Um dos benefícios do exercício é o aumento do fluxo aéreo nos pulmões. A entrada de ar fresco no pulmão ativa o metabolismo e os fluxos sanguíneo, linfático e gastrintestinal.

Outra coisa boa para fazer quando se tem tempo livre é fechar os olhos e inspirar profundamente. As várias inspirações profundas proporcionam a quantidade necessária de oxigênio e eliminam a necessidade de exercícios em excesso. Além do mais, a inspiração profunda também estimula os nervos parassimpáticos, estabilizando o estado mental e elevando as funções imunológicas.

Não há dúvida sobre a importância do exercício diário, mas a moderação é um fator importante para a continuidade desse prazer diário sem acarretar excesso de stress.

COMO CONTINUAR FÉRTIL AOS 73 ANOS

Um dos aspectos essenciais para o estilo de vida saudável é a vida sexual.

Ultimamente, mesmo casais jovens têm relatado problemas sexuais, como falta de atividade sexual, disfunção erétil e infertilidade.

Acredito que saúde, no verdadeiro sentido da palavra, é quando as várias funções do corpo, inclusive a sexual, estão regularmente ativas. Até mesmo pessoas saudáveis, quando chegam à casa dos 60 anos e lhes perguntam sobre sua vida sexual, respondem: "Não tenho mais essa capacidade", ou "Não tenho mais interesse nisso". Mas essa atitude é bastante antinatural do ponto de vista clínico. Acredito que a vida sexual de uma pessoa saudável termina com a morte.

Aliás, por falar em funções corporais nesse sentido, um homem realmente saudável tem ereções matinais todos os dias até os 75 anos. Uma mulher saudável deve ter períodos menstruais regulares até os 55 anos.

A razão pela qual as mulheres chegam a essa fase em idade comparativamente mais jovem tem ampla relação com o fato de dar à luz. Ficar grávida significa gerar outra pessoa no interior do corpo, o que sobrecarrega muito o organismo da mãe. A mulher precisa ser jovem para suportar esse tipo de stress físico. O nascimento de uma criança em si já é um acontecimento que ameaça a vida, e é um risco que aumenta com a idade. O cálcio da mãe se esgota rapidamente e seu organismo consome enzimas por duas pessoas, em vez de uma. A idade também diminui a capacidade do organismo para restaurar suas enzimas-fonte.

As funções corporais declinam em qualquer idade. Talvez o corpo mude o seu equilíbrio hormonal no meio do caminho, de modo que possamos começar a gozar a vida por nós mesmos. Suponhamos que uma mulher viva 100 anos. Seu equilíbrio hormonal muda na metade do caminho, aos 50 anos. É um aviso de que seu período de reprodução acabou. Talvez isso seja, na verdade, um mecanismo de defesa.

No caso dos homens, como eles não enfrentam grandes riscos, como gravidez ou parto, conseguem manter a capacidade de reprodução por um período mais longo do que as mulheres. Em homens saudáveis, a produção de esperma poderá manter-se pela vida toda.

Mas não me entenda mal. Não estou promovendo a ideia de pessoas idosas terem filhos. Estou apenas tentando chamar a atenção para o fato de que a capacidade de reprodução está ligada à preservação da saúde.

Obviamente, as enzimas exercem um grande efeito sobre a vida sexual. Um estilo de vida que não esgota as enzimas-fonte sem necessidade, sem dúvida nenhuma está ligado à preservação das funções sexuais.

A PÓS-MENOPAUSA É O INÍCIO DE UM ÓTIMO PERÍODO PARA A VIDA SEXUAL

A boa notícia para as mulheres na pós-menopausa é que fertilidade e desejo sexual são duas coisas completamente diferentes.

É bem verdade que depois que a menstruação cessa, as mulheres secretam menos hormônios femininos, o que resulta em alterações físicas, como lubrificação vaginal deficiente e queda de cabelo. Mas, em vez de ver essas alterações como negativas, as mulheres devem pensar que finalmente estão livres da menstruação e da preocupação com a gravidez. Os anos que se seguem à menopausa podem ser a melhor época para a sexualidade das mulheres. Essa nova liberdade permite que elas usufruam das relações sexuais de forma plena, tanto física como mentalmente.

Quando os homens e as mulheres atingem a idade em que o equilíbrio hormonal muda, o desejo sexual declina. Entretanto, é importante que ambos continuem desfrutando da vida sexual, ainda que com menor frequência.

Com um pouco de esforço, os homens podem melhorar suas funções sexuais sem depender de medicamentos. A maneira mais fácil de fazer isso é tomar um copo de água antes da relação sexual. Depois de beber água, o líquido se acumula na bexiga, estimulando a próstata e melhorando intensamente a ereção. É importante observar que esse efeito não é obtido com o consumo de cerveja ou chá, pois a cafeína e o álcool são vasoconstritores.

Muitos homens idosos dizem: "Não tenho vontade de fazer uma coisa tão problemática e cansativa", mas para um homem e uma mulher que realmente se amam, o ato sexual nunca será uma coisa cansativa e extenuante. Além disso, está clinicamente comprovado que a felicidade mental e física melhora as funções imunológicas. Todo homem gosta de ser sempre jovem e vibrante, desejado e amado por uma mulher. Toda mulher gosta de ser bonita, desejada e amada por um homem. É muito importante continuar a ter esses sentimentos para uma vida longa e saudável.

Isso se aplica a tudo; a pessoa que desiste primeiro perde. O corpo envelhece muito mais rápido quando a mente desiste das coisas. Não desista nunca. Esse é o segredo da vida longa e saudável.

CAPÍTULO 4

Preste atenção ao seu "roteiro de vida"

Nos últimos cem anos, o avanço da medicina foi muito rápido. Ironicamente, o número de doentes aumenta a cada ano. Se a medicina realmente avançou, então por que o número de doentes não diminuiu?

Seria porque a medicina está errada em suas premissas básicas? Minha resposta é sim. Uma das teorias predominantes da medicina é que as bactérias e os vírus são a causa das doenças contagiosas. Entretanto, essa visão é unilateral. O fato é que desenvolvemos doenças porque permitimos que o nosso organismo hospede bactérias e vírus. A medicina moderna está calcada na ideia de tratar ou curar doenças, enquanto a verdadeira medicina deveria basear-se na ideia de preservação da saúde.

Comecei a pesquisar seriamente a relação entre alimentação e saúde há quase quarenta anos. Naquela época, tendo examinado o estômago e o intestino de muitos norte-americanos e descoberto que as características gastrintestinais são o "barômetro" da saúde, percebi que a melhora dessas características era o atalho para a saúde. Assim, ao mesmo tempo em que tentava desenvolver e propagar a técnica de polipectomia colonoscópica para ajudar os doentes, eu continuava a pesquisar as causas de suas doenças.

Li muitos artigos e relatórios científicos, reuni dados clínicos com a cooperação de meus pacientes, usei meu próprio corpo para verificar o efeito dos medicamentos e até estudei os animais de vida selvagem. A conclusão a que cheguei é que quando se contrariam as leis da natureza, que engloba todas as coisas deste mundo (pode-se dizer até a vontade de Deus), surge a doença. Os seres humanos fazem parte da natureza, não são separados, e sem ela não podemos ter saúde nem continuar a existir. Como outros animais, os seres humanos devem consumir alimentos segundo as especificações da sua própria espécie e o ambiente em que vivem. O princípio básico da vida humana é comer vegetais e animais que ocorrem naturalmente na região em que vivem. Os seres humanos, que antes tinham uma alimentação baseada em grãos, verduras e hortaliças, vegetais marinhos, frutas e peixes, não conseguem digerir grandes quantidades de carne repleta de substâncias químicas, leite e alimentos pobres em enzima altamente processados.

Acredito em nossa capacidade de viver uma vida plena e saudável. É verdade que algumas pessoas, que tiveram a infelicidade de nascer com doenças congênitas, estão destinadas a lutar com problemas de saúde boa parte de suas vidas. Algumas dessas pessoas sofreram influências negativas hereditárias ou ambientais ainda no útero, enquanto a causa de outras doenças congênitas permanece desconhecida. Ainda assim, acredito que mesmo as pessoas com doenças hereditárias crônicas podem melhorar sua saúde geral com bons hábitos.

TODOS TÊM DIREITO A UMA VIDA PLENA

Não nascemos todos com um "roteiro de vida" saudável? Os animais sabem por instinto do que precisam para sobreviver. Os animais selvagens compreendem o seu próprio roteiro de vida e tentam segui-lo. Os dentes dos carnívoros e dos herbívoros são diferentes porque essa é a maneira que a natureza usa para informar o tipo de comida que eles devem comer.

O alinhamento e a proporção de nossos dentes também são um exemplo perfeito da atuação da lei da natureza. Significa que nós, seres humanos, também temos nossos próprios roteiros de vida, mas que, em nossa arrogância, costumamos ignorar. Uma das razões para isso é a ambição humana. Nossa capacidade de pensar, que nos foi dada pela graça de Deus, tem sido erroneamente interpretada como se fôssemos seres especiais de uma classe superior à dos animais. Criamos e controlamos animais conforme nossa conveniência. Nosso desejo de comer coisas gostosas nos leva a comer "alimentos" que não são encontrados na natureza. Nosso desejo de viver com mais conforto nos leva a destruir boa parte do ambiente natural. Nosso desejo de produzir safras com mais facilidade nos leva ao uso de agrotóxicos. Nosso desejo de possuir mais terra e dinheiro nos leva a discórdias e disputas. Talvez os seres humanos de hoje estejam pagando por sua ilimitada ambição na forma de doenças.

Mas a medicina moderna também demorou a perceber seus erros. Os seres humanos também fazem parte da natureza. Para viver com saúde, devemos seguir as leis dela. Seguir as leis da natureza significa seguir o roteiro de vida inerente a cada um. Uma pessoa com sobrepeso sente fome porque tem falta dos nutrientes necessários. Uma pessoa com diarreia ou prisão de ventre não está comendo os alimentos adequados ao seu sistema digestório. Quando ignoramos as leis da natureza, ficamos doentes.

Assim, estou convencido de que a medicina do futuro deverá concentrar-se nas leis da natureza. Devemos ficar atentos ao roteiro que a natureza escreveu para os seres humanos, tentar despertar nossa capacidade inerente de autocura e adotar a promoção da saúde em vez de tentar suprimir a doença à força.

A ESPECIALIZAÇÃO ESTÁ ARRUINANDO A MEDICINA

O primeiro passo em direção às leis da natureza é acabar com a especialização no atendimento médico. A especialização clínica nos impede de ver a floresta pelas árvores. Nada na natureza se sustenta por si só. Todas as coisas sofrem influência de outras coisas.

No Japão há um movimento recente no sentido de "criar uma floresta no oceano". Trata-se de um projeto iniciado por pescadores que, tentando descobrir por que os peixes estavam subitamente desaparecendo do oceano, descobriram que anos atrás um grande número de árvores fora cortado das montanhas. Eles descobriram uma ligação entre as atividades madeireiras e o declínio da população de peixes. O objetivo do projeto dos pescadores é replantar as árvores nas montanhas para trazer os peixes de volta. À primeira vista, a relação entre as árvores da montanha e os peixes do oceano pode parecer pequena, mas no círculo da natureza as duas coisas estão intimamente ligadas.

Do mesmo modo, as atividades isoladas de 60 trilhões de células que realizam os cinco fluxos do corpo humano — sanguíneo e linfático, gastrintestinal, urinário, aéreo e energético — estão intimamente interligadas. Um problema em um dos fluxos influenciará todos os outros. Ignorar essa interligação tentando tratar os órgãos individualmente impossibilitará a visão do quadro completo. Se a especialização do tratamento médico continuar avançando da maneira como avançou até agora, num futuro próximo não teremos mais médicos de verdade. Seremos deixados à mercê de especialistas que só entenderão de sua área de especialidade e que não conseguirão abordar a saúde de seus pacientes como um todo.

Mesmo que os olhos e a compleição física do paciente deixem claro que ele tem algum problema físico, um especialista gastrintestinal simplesmente poderia realizar uma colonoscopia e, se não encontrasse pólipos, dizer ao paciente: "Parabéns, você está bem. Não há pólipos nem câncer." Essa atitude é muito irresponsável, pois um simples exame colonoscópico, por si só, não pode avaliar a saúde geral de ninguém.

Alguns me consideram "o cirurgião gastrintestinal por endoscopia mais importante dos Estados Unidos", mas eu não acho que tenha algum talento especial, apenas tento tratar meus pacientes observando atentamente os seus corpos.

Atualmente, nos Estados Unidos, tornou-se uma prática comum submeter pacientes de câncer de mama a exames de cólon. Na verdade, fui eu que disseminei essa ideia. Na época, fui elogiado por essa descoberta, mas, falando francamente, acredito que qualquer outro médico teria feito a mesma coisa se tivesse sido treinado para considerar o corpo de um paciente como um organismo unificado.

Quando me deparo com uma pessoa que tem câncer, sei que ela tem câncer sem nenhum exame interno. É difícil explicar em palavras, mas eu tenho a sensação de que meu "chi" (energia) está sendo sugado. Quando falo coisas assim, a maioria dos médicos esboça um sorriso irônico. Entretanto, não se trata da minha imaginação, e sim de uma sensação física respaldada por minha longa experiência clínica.

Certa vez atendi uma paciente de 38 anos que se queixava: "Doutor, tenho câncer aqui", e apontava para a região superior do abdome. Eu também tinha a mesma sensação. No entanto, antes de vir ao meu consultório, ela já havia consultado vários médicos e feito muitos exames. Em todos os lugares em que estivera, os resultados dos exames foram normais. Mesmo depois de examiná-la cuidadosamente com o endoscópio, eu não consegui encontrar o câncer em nenhum lugar. Eu não achava que havia motivos para preocupação, pois ela era jovem, mas como ela continuava dizendo que havia algo errado, injetei um contraste partindo do duodeno para o interior do colédoco e fiz um raio X. (O colédoco não pode ser examinado com endoscópio por ser extremamente fino.) Exames do colédoco com injeção de contraste não são muito comuns.

Esse teste permitiu que eu encontrasse um câncer do tamanho da pontinha do dedo mínimo no colédoco.

Outro paciente veio me consultar dizendo que tinha certeza de que tinha câncer de estômago. Seus exames endoscópicos sempre foram normais. Mas, como no outro caso, o paciente se queixava de modo persistente e eu também tinha a estranha sensação de que havia algo errado. Decidi examiná-lo novamente dois meses depois da consulta. Nesse novo exame, encontrei uma pequena úlcera no estômago. Com a biópsia realizada em uma amostra de tecido, descobrimos um carcinoma fibroso que já tinha se espalhado sob a mucosa do estômago. Além de ser um tipo de câncer que progride muito rápido, o carcinoma fibroso é extremamente difícil de ser detectado. É muito difícil de ser encontrado pela endoscopia, pois ele se desenvolve sob a mucosa, o que o torna uma doença grave. Se eu não tivesse feito um novo exame na época em que fiz, o câncer teria sido fatal.

O tempo que um médico fica frente a frente com seu paciente não é muito longo. Durante esse curto período, o médico procura um possível sinal de SOS emitido pelo corpo do paciente. Infelizmente, no entanto, há muito poucos profissionais dispostos a prestar atenção ao corpo do paciente como um todo, uma vez que o atendimento médico tornou-se totalmente especializado.

Tenho certeza de que muitas pessoas já tiveram essa experiência, porém, antes de passar por um exame médico, o paciente deve decidir primeiro que médico consultar. No consultório, o médico pergunta: "O que o traz aqui hoje?" e se o paciente disser: "dor de estômago", só então ele terá seu estômago examinado. Se não for encontrado nada de anormal no estômago, o paciente será mandado para casa com um "Muito bem, não há nada de errado com você", como se fosse um selo de aprovação. A menos que o paciente peça outros exames, a consulta terminará aí. Se não for um bom profissional, poderá simplesmente ignorar o pedido do paciente e dizer: "É tudo imaginação sua. Não há necessidade desse tipo de exame" e mandar o paciente embora.

Mas, conforme afirmei anteriormente, acredito que os médicos devam ouvir seus pacientes e levar a sério o que eles dizem. Estou muito triste com a atual situação do sistema de saúde dividido em especialidades, pois acredito piamente que desse modo ninguém consegue ser médico de verdade. O mais triste é que nos Estados Unidos os formandos em medicina não precisam mais fazer um ano de residência antes da especialização. Isso significa que eles não terão a chance de aprender sobre as partes do corpo que não sejam as de sua especialidade.

Em minha clínica de Nova York, com o intuito de aliviar a ansiedade de meus pacientes, faço um exame geral do corpo inteiro. Primeiro, antes de uma esofagogastroduodenoscopia (EGD) ou de uma colonoscopia, examino a pele, a pressão arterial, a pulsação, o nível de saturação de oxigênio, as glândulas tireoides, os gânglios linfáticos, as anomalias articulares e musculares do paciente, além de fazer um exame de mama nas mulheres.

Se o paciente for mulher, pergunto se ela gostaria de um exame de colo do útero para detectar um possível câncer. Quando ela concorda, examino o útero por meio do colonoscópio. O exame costuma durar menos de um minuto, e minhas pacientes ficam muito felizes por evitar uma consulta ao ginecologista.

Embora minha especialidade seja a gastroenterologia, também examino a próstata e as mamas da mesma forma que examino o colo do útero. Meus pacientes ficam satisfeitos com esses exames, e eu, como médico, aprendo muito com a experiência.

OPTE PELA SAÚDE DAQUI A DEZ ANOS, EM VEZ DE COMER UM BIFE HOJE À NOITE

O exame de uma doença é capaz de me ensinar muita coisa.

Por exemplo, durante o exame de câncer de mama, pergunto às minhas pacientes sobre sua história alimentar. A partir dessas entrevistas, consigo encontrar as relações de causa entre alimentação e doença. Descobri que as mulheres com câncer de mama adoram café, consomem com frequência leite e seus derivados, como queijo e iogurte, e alimentam-se basicamente de carne. Muitas mulheres com esse tipo de alimentação, mesmo que ainda não tenham desenvolvido câncer, têm uma alteração chamada doença fibrocística da mama. A causa dessa doença é a alimentação que combina laticínios e carne. Se a paciente não mudar seus hábitos alimentares, suas chances de desenvolver câncer de mama serão muito altas.

Desse modo, recomendo enfaticamente às portadoras de doença fibrocística a mudança dos hábitos alimentares o mais rápido possível. Quando lhes pergunto: "Você gosta de café, produtos lácteos e carne, não gosta?", em geral elas ficam muito surpresas por eu saber disso. Depois que exponho os meus dados clínicos, as minhas sugestões alimentares e os fundamentos dessas sugestões, a maioria decide mudar de alimentação.

Meu tratamento clínico baseia-se em coisas que aprendi examinando meus pacientes. Da mesma forma, minhas sugestões de estilo de vida também são baseadas nas observações de vários pacientes. Além da mudança de alimentação, uma massagem diária de cinco minutos na mama tem demonstrado eficácia na prevenção de câncer, algo que aprendi com a observação clínica.

Não sei se os mastologistas sugerem essas medidas preventivas. Mas, quando examino minhas pacientes um ano depois dessa recomendação, constato que elas não têm câncer de mama e, o mais importante, o tecido da mama está muito mais liso sem a doença fibrocística.

O que me deixa mais feliz como médico não é curar doenças ou ser considerado um profissional competente, mas ser capaz de dar conselhos precisos a pessoas com "doenças latentes" e ajudá-las a preservar a saúde.

Depois de muitos anos nessa área, é natural que eu tenha adquirido total consciência da importância da alimentação diária. No entanto, hoje em dia, há muitos tipos de alimentos amplamente considerados "bons" que, na verdade, prejudicam o organismo. Nos últimos trinta anos, tenho feito muitas palestras e participado de muitas discussões públicas, além de conversar com pacientes tanto dos Estados Unidos como do Japão sobre a relação entre saúde e alimentos prejudiciais. No entanto, mudar as normas socialmente aceitas não tem sido fácil. Além disso, se a divisão do atendimento médico em especialidades continuar nesse ritmo, ficará cada vez mais difícil os médicos jovens aprenderem as coisas que eu e muitos outros aprendemos com a experiência de consultório.

A medicina do futuro é a medicina preventiva. E para que seja institucionalizada a medicina preventiva correta, o conhecimento sobre alimentação é indispensável. É muito difícil mudar a mentalidade de um adulto cujo "modo de pensar" já esteja estabelecido. Seria diferente se a pessoa estivesse doente, mas se ela tiver apenas doença latente, certamente optará pelo bife de hoje à noite em vez de optar pela saúde daqui a dez anos. Se você chegou até este ponto do livro, espero que fique com a opção "saudável".

Meu objetivo agora é educar a próxima geração. Com frequência ouvimos falar da educação do indivíduo como um todo, ou seja, intelectual, física e espiritualmente. Mas espero incorporar a isso a educação alimentar, para que as pessoas possam obter conhecimentos sobre alimentação. As merendas servidas atualmente nas escolas são pautadas por ideias equivocadas e cálculos de calorias que são muito perigosos. Assim, acredito que a mudança da merenda escolar e a educação alimentar das crianças seja a tarefa mais urgente do presente.

OS SERES HUMANOS CONSEGUEM VIVER GRAÇAS AOS MICRO-ORGANISMOS

Você já pensou no que acontece aos peixes que morrem no oceano? Quando olhamos no fundo do oceano, não vemos carcaças de peixe acumuladas. Então, para aonde vão os seus restos mortais? Na verdade, eles desaparecem. Eles são lentamente decompostos pelos micro-organismos do oceano sem nenhum alarde.

Embora eles não sejam visíveis a olho nu, nosso mundo é cheio de micro-organismos. Eles existem até mesmo no ar puro, pois, acredita-se que em um raio de um centímetro, partindo-se de um ponto qualquer, haja 100 micro-organismos. Eles ainda são encontrados a uma distância de 10 quilômetros acima ou abaixo da superfície terrestre. Obviamente, no mar há grandes quantidades. O intestino humano também abriga micro-organismos, são os que formam a flora bacteriana intestinal. Em outras palavras, vivemos em uma sopa de micro-organismos.

No intestino humano vivem cerca um quatrilhão de bactérias intestinais que se dividem em trezentos tipos. Mas, elas não estão lá à toa. Elas têm um trabalho árduo. A sua principal função é criar enzimas-fonte que se transformam em fonte de energia viva. Acredita-se que as bactérias intestinais são responsáveis pela criação de cerca de 3 mil tipos de enzimas.

Entre as bactérias intestinais, existem as boas e as ruins. Em geral, denominamos "bactérias boas" as que trabalham a favor dos seres humanos, como os lactobacilos, e "bactérias ruins" as que causam desgaste e que de algum modo prejudicam o organismo humano.

As bactérias boas, em suma, são as que têm enzimas antioxidantes. Quando são produzidos radicais livres no intestino, essas bactérias morrem e produzem enzimas antioxidantes, neutralizando-os.

No intestino existe um número incontável de projeções chamadas vilosidades. Os lactobacilos, que são bactérias boas, penetram nos espaços entre essas vilosidades, e aí produzem as células do sistema imunológico, como os glóbulos brancos e as células exterminadoras naturais. O combate empreendido pelos glóbulos brancos e pelas células exterminadoras naturais a corpos estranhos, como proteínas, bactérias, vírus e células cancerosas, produz um grande número de radicais livres. Os lactobacilos desempenham um papel ativo na remoção desses radicais livres.

Acredito que os radicais livres que não foram removidos ou neutralizados por falta de "bactérias boas" ou por qualquer outra razão causem inflamação das vilosidades, que são extremamente delicadas, destruindo-as e provocando colite ulcerativa ou doença de Crohn.

Por outro lado, as bactérias ruins trabalham para decompor a matéria não digerida e, em geral, são consideradas tóxicas. Entretanto, causando a fermentação anormal da matéria não digerida e criando gases tóxicos, elas estimulam o intestino a excretar gases e fezes, ajudando a remover do organismo a matéria não digerida o mais rápido possível. Desse modo, acredito que seja impossível fazer a distinção ou classificar as bactérias intestinais em boas ou ruins. A existência das "bactérias ruins" no organismo também pode ter um propósito específico que não seja necessariamente prejudicial.

Além das bactérias boas e ruins, existem outras que não são tóxicas nem úteis. São as chamadas bactérias "transitórias" ou neutras. Reiterando, essa classificação de bactérias não é muito precisa. O mais importante é o equilíbrio entre os tipos. Do mesmo modo que a proteína, seja qual for o grau de importância do nutriente, seu consumo excessivo o transformará em veneno para o organismo. Pode-se dizer o mesmo das bactérias ruins. Se elas aumentarem demais, poderão causar problemas, ainda que sejam de um tipo necessário à preservação da saúde.

Tudo é uma questão de equilíbrio, e, conforme mencionei anteriormente, o equilíbrio das bactérias intestinais é muito delicado. Os micro-organismos são extremamente frágeis e facilmente influenciados pelo ambiente. Em ambiente favorável, eles crescem milhares, até mesmo milhões, de vezes. No entanto, em ambiente desfavorável, eles desaparecem muito rápido.

As características das bactérias transitórias ainda não foram esclarecidas, pois quando estão cercadas por maioria de bactérias boas, elas começam a produzir enzimas antioxidantes. Mas, cercadas por maioria de bactérias ruins, elas se transformam em bactérias ruins. Em outras palavras, as bactérias transitórias são altamente influenciadas pelas bactérias do meio em que se encontram.

As pessoas não gostam de bactérias ruins, mas somos nós mesmos que criamos o ambiente intestinal que favorece a sua propagação. Não podemos culpar os micro-organismos por nossa ignorância a respeito de alimentação e estilo de vida. Transformar as bactérias de nosso organismo em boas ou ruins depende de nossas próprias ações.

CRIANDO UM AMBIENTE INTESTINAL FAVORÁVEL ÀS BACTÉRIAS BOAS

Embora as enzimas sejam indispensáveis, o número de enzimas que um indivíduo é capaz de produzir pode ser predeterminado. Acredito que a vida termina quando as enzimas-fonte se esgotam. Sendo assim, não seria errado dizer que nosso tempo de vida é determinado pelas enzimas-fonte.

Os maiores responsáveis pelo esgotamento dessas preciosas enzimas são os radicais livres. A própria sociedade moderna apresenta um ambiente em que os radicais livres são produzidos com muita rapidez. Stress, poluição do ar, raios ultravioleta, ondas eletromagnéticas, infecções virais ou bacterianas, exposição a raio X ou radiação são fatores que geram radicais livres.

No entanto, além desses fatores externos, existem outras atividades que produzem radicais livres, mas que podem ser facilmente evitadas se estivermos dispostos a fazer algumas alterações no estilo de vida. Tabagismo, consumo de bebidas alcoólicas, aditivos alimentares, alimentos oxidados e medicamentos são causas de radicais livres que podem ser evitadas. Se as pessoas não se esforçarem para eliminar esses hábitos, provavelmente acabarão doentes, pois eles consomem um grande número de enzimas.

Se o número de enzimas do corpo já é predeterminado, dependemos das bactérias intestinais para suprir a sua falta. Assim, a única maneira de aumentar nossas enzimas é criar um ambiente intestinal favorável às bactérias boas e às suas enzimas antioxidantes.

Quando recomendo o consumo de alimentos ricos em enzimas é porque eles permitem a propagação das bactérias boas, que se transformam na matéria-prima das enzimas.

Como acontece na natureza, o acúmulo de coisas boas levará a um ciclo positivo. Com água e alimentos de boa qualidade e estilo de vida saudável, o ambiente intestinal será naturalmente equilibrado, gerando uma profusão de enzimas e permitindo uma vida plena de vitalidade.

Por outro lado, um único hábito ruim poderá transformar esse ciclo positivo em negativo. O consumo de carne e de leite e seus derivados afetará negativamente a capacidade de digestão e absorção de nutrientes do organismo e, com o tempo, acabará danificando o ambiente intestinal. A deterioração do ambiente intestinal provocará o desaparecimento das bactérias boas e a transformação das bactérias transitórias em ruins. Isso criará um ambiente em que o organismo não conseguirá mais neutralizar os radicais livres. Além disso, com a deterioração da capacidade digestiva, os alimentos não digeridos começarão a apodrecer no intestino. Usando esse alimento em decomposição como nutrição, as bactérias ruins produzirão grandes quantidades de gases tóxicos.

O intestino das pessoas que costumam produzir gases extraordinariamente malcheirosos tem esse ciclo. As crianças amamentadas ao seio materno não têm fezes malcheirosas porque consomem apenas alimentos vivos. As fezes de crianças que consomem leite de vaca têm cheiro mais forte.

Embora o sistema imunológico também combata as toxinas no interior do intestino, sobram poucas bactérias boas para neutralizar os radicais livres produzidos nessa batalha. O resultado é a impossibilidade de impedir os efeitos negativos dos radicais livres, que destruirão as paredes intestinais e darão origem a pólipos e câncer.

É possível reverter esse ciclo e criar um bom ambiente intestinal prestando muita atenção à alimentação e ao estilo de vida. Iniciar um novo ciclo e manter-se persistente requer um grande esforço, mas depois de adotados os novos hábitos, mesmo com o consumo de carne e álcool uma vez por mês, as enzimas-fonte que foram economizadas até aquele momento compensarão as interrupções ocasionais.

A RELAÇÃO INDESTRUTÍVEL ENTRE O NOSSO CORPO E A TERRA

Os norte-americanos têm uma alimentação à base de carne há muito mais tempo do que os japoneses, e o intestino dos norte-americanos não se desequilibra tão facilmente como o dos japoneses. Tenho me questionado sobre o motivo dessa diferença entre os dois grupos. Consigo pensar em vários motivos.

Primeiro, a cultura alimentar de cada país ao longo de muitos anos é diferente.

Os ocidentais têm se alimentado de carne há vários séculos, e os japoneses somente incluíram a carne em sua alimentação no Período Meiji (1868-1912), portanto é um fenômeno relativamente recente. O intestino dos japoneses, que se alimentam basicamente de grãos, verduras e legumes há séculos, é 20% mais longo que o intestino dos ocidentais em relação ao tamanho do corpo. Como eles têm o intestino mais longo, o alimento ingerido leva mais tempo para ser excretado. Permanecendo mais tempo no organismo, a carne produz um efeito muito maior no intestino dos japoneses.

A outra diferença está no solo. O corpo humano e a terra têm uma ligação indestrutível. Atualmente podemos comer alimentos de todas as partes do mundo, mas, ainda assim, consumimos os alimentos do lugar em que habitamos. Por isso, nossa saúde depende amplamente da condição da terra em que vivemos.

Esta história aconteceu há alguns anos, mas a primeira vez que vi verduras e hortaliças à venda nos Estados Unidos, fiquei espantado com o tamanho delas. As verduras e os legumes japoneses, como berinjela ou pepino, são nitidamente menores. Eu achava que a diferença estava no tipo de hortaliça. Mas, o fato é que uma semente de verdura ou legume plantada nos Estados Unidos crescerá muito mais do que se plantada no Japão. Isso se deve ao teor mais elevado de cálcio, minerais e vitaminas do solo norte-americano em relação ao japonês. Por exemplo, o espinafre cultivado nos Estados Unidos tem três a cinco vezes mais cálcio do que o cultivado no Japão.

Outro exemplo é o brócolis. De acordo com alguns dados que tenho visto, 100 gramas de brócolis norte-americano contêm 178 miligramas de cálcio. Em contraposição, os mesmos 100 gramas de brócolis japonês contêm apenas 57 miligramas de cálcio.

Minha teoria é que, embora os norte-americanos tenham uma dieta centrada na carne, seu organismo não é tão afetado pelo consumo de carne como o dos japoneses porque eles comem verduras e legumes cultivados em solo rico em nutrientes, permitindo, até certo ponto, a neutralização do pH ácido do organismo causado pela carne.

Anos atrás, havia uma nítida diferença de constituição física entre japoneses e norte-americanos. Hoje em dia, por causa da alimentação ocidental, o corpo dos japoneses é muito maior do que antes. Em outras palavras, os hábitos alimentares e o físico dos japoneses mudaram com a importação de uma cultura alimentar que consiste em carne, leite, queijo e manteiga.

Ainda que os japoneses queiram ocidentalizar-se dessa maneira, há uma única coisa que não pode ser mudada: o solo japonês. Por mais que se tente, a qualidade do solo não pode ser mudada. O que determina a riqueza do solo é o número de pequenos animais e micro-organismos que ele contém. Mas como a maior parte do solo japonês é de origem vulcânica, ele não contém tantos nutrientes para as bactérias.

Assim, o solo do Japão não é rico em nutrientes. O povo japonês conseguiu manter o equilíbrio entre alimentação e saúde no passado porque se alimentava de grãos, legumes e verduras cultivados em sua terra, bem como peixes e vegetais do oceano da região. Acredito que estavam em sintonia com o equilíbrio da natureza.

NÃO EXISTE ENERGIA VIVA EM ALIMENTOS CULTIVADOS COM DEFENSIVOS AGRÍCOLAS

Na natureza tudo está interligado. Tudo influencia tudo sem interferir no delicado equilíbrio de nada. Mesmo as coisas que achamos "desnecessárias", na natureza elas são necessárias.

Os defensivos são usados nas plantações para evitar os prejuízos causados por insetos daninhos. No entanto, "inseto daninho" é um termo cunhado por seres humanos. Na natureza, não existem insetos que causam danos.

Os seres humanos não gostam quando os insetos entram em suas plantações, mas a verdade é que, daninhos ou úteis, eles acrescentam determinados nutrientes às plantas quando pousam sobre elas. Esse nutriente é a quitina-quitosana.

A quitina-quitosana é encontrada na carapaça do caranguejo e na casca do camarão, mas a cobertura rígida do corpo dos insetos também é formada por quitina-quitosana. Quando os insetos pousam na folha das plantas, ela excreta enzimas, como a quitonase e a quitinase. Essas enzimas permitem que as plantas absorvam quantidades diminutas de quitina, cerca de um nanograma, do corpo e das patas do inseto para usá-la como nutriente.

Desse modo, os nutrientes que as plantas absorvem dos insetos contribuem para a vida dos animais que comem essas plantas.

Entretanto, essa cadeia de nutrição é danificada pelos agrotóxicos. Em vez da quitina-quitosana dos insetos, as plantas, as verduras e os legumes absorvem os agrotóxicos usados para repelir insetos, causando grandes danos aos seres humanos que consomem essas plantas.

Além disso, os agrotóxicos tiram a vida de coisas vivas do solo! Esses organismos vivos são a fonte de energia das plantações. O solo das plantações, que são periodicamente pulverizadas com agrotóxicos, nem sequer tem minhocas ou bactérias úteis. Em solo estéril as plantações não crescem, por isso são usados fertilizantes químicos. As plantas conseguem crescer com esses fertilizantes, porém com deficiência de sabor e valor nutritivo. É por essa razão que os nutrientes dos vegetais estão diminuindo a cada ano.

A irrigação das plantações constitui outra ameaça. A água para uso agrícola não é esterilizada com cloro como a água de torneira normal. As plantações demandam grandes quantidades de água, porém, além de serem poluídas por agrotóxicos, elas vêm de rios poluídos e são contaminadas por resíduos de esgoto humano. As toxinas que entram no organismo humano são, até certo ponto, excretadas pela ingestão de água. O mesmo acontece com as plantas. Entretanto, como a água que deveria ser usada pelas plantas para excretar toxinas é poluída, é inevitável que essas plantas acumulem toxinas.

O terceiro problema é o cultivo em estufa. O objetivo das estufas é reduzir os danos causados por insetos e controlar a temperatura. Entretanto, o lado negativo disso — embora ainda não seja do conhecimento de todos — é que a luz solar é bloqueada por uma cobertura de plástico. Como as plantas não conseguem se movimentar como os animais, ficam expostas a grandes quantidades de radiação ultravioleta. Os raios ultravioleta provocam o acúmulo de radicais livres e oxidação. Para que as plantas se protejam contra isso, elas são dotadas de um mecanismo que as capacita a produzir grandes quantidades de substâncias antioxidantes.

Esses agentes antioxidantes incluem vitaminas, como A, C e E, e polifenóis, como flavonoide, isoflavona e catequina, encontrados em quantidades significativas nos vegetais. As plantas produzem essas substâncias antioxidantes quando são expostas aos raios ultravioleta. Em outras palavras, a cobertura de plástico reduz a incidência dos raios ultravioleta sobre as plantas. Como consequência, os vegetais produzem menos substâncias antioxidantes, como vitaminas e polifenóis.

Atualmente, a prioridade do setor agrícola é produzir alimentos de boa aparência, não alimentos nutritivos. As folhas de verduras e legumes cultivados de forma natural apresentam orifícios produzidos por insetos ou têm forma irregular. Na verdade, eles não têm um aspecto bonito. Todavia, são muito ricos em energia viva.

Nós obtemos energia dos alimentos que consumimos, portanto se consumirmos alimentos desprovidos de energia viva, por mais que comamos, nunca conseguiremos ser saudáveis. A pessoa que não come alimentos cultivados de forma natural não pode esperar uma vida com saúde. Os alimentos consumidos diariamente sustentam o organismo, e a escolha desses alimentos é determinante para a saúde.

A boa notícia é que um número cada vez maior de pessoas está começando a usar fertilizantes e métodos de cultivo orgânicos. O custo desses produtos certamente é maior do que o dos alimentos "comuns", mas esse é o preço de uma vida com saúde, e é muito mais barato do que ficar doente.

A vida se sustenta somente com alimentos plenos de energia. As plantações só podem ser plenas de energia se forem produzidas em solo que possui energia viva. Se as bactérias do solo forem saudáveis, os legumes, as verduras e as frutas também serão. Os alimentos saudáveis transformam as bactérias do intestino humano em bactérias saudáveis.

TUDO ESTÁ ESCRITO EM NOSSO "ROTEIRO DE VIDA"

Todos nós, às vezes, deixamos de perceber relações importantes quando nos concentramos em uma única coisa. Por exemplo, se considerarmos apenas um órgão do corpo isoladamente, não veremos como os órgãos se relacionam entre si. Ou, se olharmos somente o corpo, negligenciaremos a inseparabilidade vital entre corpo, mente e espírito.

Diante de pressão *mental*, o *corpo* é imediatamente dominado pelos nervos simpáticos. Em contrapartida, diante da felicidade plena, quando estamos nos sentindo plenamente felizes, o corpo é dominado pelos nervos parassimpáticos. À noite, durante o sono, o corpo se recupera porque passa para o domínio dos nervos parassimpáticos.

A pessoa sob stress mental diário e que é ocupada demais para comer de modo adequado sofrerá um desequilíbrio físico. Qualquer doença é causada por mais de um fator. Tudo está interligado. Fatores mentais, fatores físicos, fatores ambientais... A doença surge quando todos esses fatores se juntam e formam um ciclo negativo.

A má alimentação produz grandes quantidades de radicais livres no organismo, mas os sentimentos negativos, como ódio, ressentimento e ciúme, são tão destrutivos para a saúde quanto a má alimentação. Não adianta nada interromper o consumo de bebida alcoólica, parar de fumar e adotar uma alimentação perfeita, se a dieta mental for de raiva, stress e medo. A doença poderá surgir da mesma maneira. Para uma vida saudável, é importante manter um estado mentalmente harmonioso e estável.

Entre as pessoas com câncer, há as que se rendem a ele e perdem a vida em pouco tempo, e há outras cujo câncer não avança com tanta rapidez. Acredito que essa diferença esteja no "anfitrião", ou no doente — especificamente, no vigor físico do hospedeiro. A metástase e a recidiva de câncer se devem ao enfraquecimento do sistema imunológico do anfitrião.

Em minha opinião, a capacidade de combater o câncer (ou qualquer outra doença) depende do número de enzimas-fonte do doente. Se ele tiver determinado nível de enzimas-fonte, sua chance de combater a doença será maior. Por outro lado, se as enzimas estiverem esgotadas, o câncer será muito mais "agressivo", pois conseguirá propagar-se com mais facilidade pelo corpo enfraquecido.

Comparando-se com a expectativa de vida do universo, os seres humanos têm uma existência muito breve, ainda mais breve do que a dos vírus. A vida de um ser humano passa em um piscar de olhos. Mesmo que eu viva 120 anos, considero esse período curto. Existem muitas coisas que eu gostaria de fazer nesta vida, e são coisas que exigem motivação constante e elevado nível de energia. Talvez você esteja lendo este livro porque sinta a mesma coisa. Se a nossa vida é tão curta, não há motivos para não vivermos com saúde, felicidade e vitalidade. Digo aos meus pacientes (e a todos que querem ouvir) que eles têm a opção de permanecer jovens, saudáveis e otimistas e de desenvolver interesses de várias maneiras.

Percebo que a nossa vida, inclusive a minha, é um microcosmo de um quadro maior. Eu tenho um fraco por essa vida tão curta, porém, tão importante. Você não acha que é um desperdício perder essa vida curta e preciosa remoendo ressentimentos e medos, comendo alimentos de baixo valor nutritivo e sofrendo com problemas de saúde e baixa energia?

A doença e o sofrimento não são necessários em nossa vida tão breve, pois a maneira de viver com saúde já está escrita para cada um. Primeiro é preciso ouvir o que o corpo está tentando dizer. Na impossibilidade de ouvir a voz do corpo, temos a natureza para nos ensinar. As leis da natureza nos ensinam exatamente o que precisamos agora. Se tivermos humildade suficiente para aceitá-las e confiar em nosso roteiro de vida, as milagrosas enzimas-fonte nos ajudarão a ter uma vida longa, plena e feliz.

O AMOR ATIVA A ENZIMA DO MILAGRE

"Nem só de pão vive o homem" é um ensinamento bíblico, mas aprendi com muitos pacientes que esse ensinamento também é uma das leis da natureza.

Há casos de pessoas muito doentes que se recuperam milagrosamente depois de estabelecer uma meta. Existem casos no mundo todo em que portadores de câncer desenvolvem, casualmente ou não, sentimentos de gratidão e, depois disso, começam a se recuperar.

Todos os seres humanos têm um potencial infinito, que, em geral, está escondido. Quando há uma abertura para a realização desse potencial, as enzimas do organismo são ativadas, gerando energia e até mesmo trazendo de volta à vida pessoas quase mortas. Por outro lado, o corpo pode ser saudável o quanto for, mas uma vida de solidão, sempre voltada para o negativo e para a tristeza, reduzirá a força das enzimas.

Não acho que a cura do câncer por meio do amor seja impossível. Acho que uma pessoa que realmente acredite em sua cura e que sinta o verdadeiro amor no fundo do seu coração seja capaz de vencer a doença. O intenso desejo de ver seus filhos ou netos crescerem aumentará muito as suas chances de viver. Dependendo da intensidade do desejo, abrem-se possibilidades que aparentemente eram impossíveis.

Para curar uma doença, o médico não pode simplesmente cortar "partes doentes" do corpo do paciente ou simplesmente receitar-lhe medicamentos. A cura significa motivar a pessoa de tal modo que ela se sinta genuinamente feliz. Um grande médico é aquele que tem a capacidade de despertar esse tipo de motivação. Minha meta pessoal é ser esse tipo de profissional. Mas, o que seria uma forte motivação para esses pacientes? Acredito que não exista motivação maior do que o amor.

Todos nós sabemos que há muitas formas de amor — entre homem e mulher, entre pais e filhos, entre companheiros e amigos, entre nós e as pessoas necessitadas — seja qual for a forma, acredito que a motivação, o bem-estar e a felicidade venham do amor. Para se ter saúde, é absolutamente necessário sentir amor por alguém. Poucas pessoas conseguem ser felizes sozinhas. Uma vida feliz é plena de amor, que passa por vários estágios. Primeiro recebemos amor, depois construímos amor com outras pessoas e, finalmente, damos amor.

Quando uma pessoa é verdadeiramente feliz, os exames de sangue revelam um sistema imunológico ativo. Como as enzimas-fonte elevam as funções imunológicas, é provável que a pessoa feliz tenha um grande número delas.

Além disso, quando você está se sentindo feliz, os nervos parassimpáticos do sistema nervoso assumem o controle, reduzindo o nível de stress. Quando o nível de stress diminui, menos radicais livres são produzidos e o equilíbrio da flora intestinal começa a pender para o lado das bactérias boas. Quando o ambiente intestinal melhora, essa situação é transmitida pelos nervos parassimpáticos ao hipotálamo. O cérebro recebe essa informação e produz sensações de prazer ainda mais intensas.

Sensação de felicidade → nervos parassimpáticos assumem o comando → redução do stress → melhora do equilíbrio intestinal → mensagem via nervos parassimpáticos → transmissão para o hipotálamo → maior sensação de felicidade.

As partes do corpo humano — sistema imunológico, endócrino e nervoso — não funcionam sozinhas. Elas influenciam umas às outras. Quando se inicia um ciclo positivo, todo o corpo toma uma direção positiva.

Quando se inicia um ciclo de felicidade, a produção de enzimas aumenta muito. Em troca, elas estimulam positivamente todas as células do corpo. Portanto, as responsáveis pela ativação da força de autocura de uma pessoa feliz por causa do amor são as enzimas produzidas por esse ciclo de felicidade.

Tenho certeza de que você perceberá que o amor é o principal capítulo do nosso "roteiro de vida".

EPÍLOGO

O fator enzimático: da entropia à sintropia

Completei 72 anos em março de 2007, e, periodicamente, quando vejo meus colegas de classe, consigo saber o tipo de vida que cada um levou desde que nos conhecemos. Alguns têm a aparência típica do velho, enquanto outros parecem muito jovens. A diferença está em fatores como história alimentar, estilo de vida, tipo de água consumida, padrões de sono, ambiente e motivação. O corpo de uma pessoa mais velha não mente. Na realidade, ele reflete o tipo de vida que ela leva.

Algumas pessoas dizem que a partir do nascimento todas as coisas vivas rumam em direção à morte. É verdade. Mesmo que respeitemos as leis da natureza, um dia vamos morrer.

No entanto, a velocidade com que se percorre esse caminho pode variar enormemente. As pessoas que têm altos níveis de stress físico e mental podem terminar sua jornada em apenas quarenta anos, mas outras podem percorrer o caminho da vida em cem anos ou mais. É possível conseguir isso cuidando do corpo e da mente e apreciando a paisagem do caminho com um companheiro ou com amigos.

O caminho que escolhemos é determinado por nosso livre-arbítrio. Mas, levando-se em conta que o resultado é o mesmo, não seria melhor criar uma vida longa e frutífera da qual pudéssemos usufruir?

Tomemos um prego como exemplo. Esse prego um dia enferrujará e acabará se esfarelando e se desintegrando. Ele enferrujará rapidamente se ficar em local exposto ao sal, como o litoral; mas se ele regularmente receber uma camada de tinta ou óleo, é provável que fique livre da ferrugem por um bom tempo.

O processo pelo qual qualquer pessoa ou coisa caminha em direção à destruição ou desintegração é denominado "entropia". Mas a velocidade da entropia depende muito do ambiente. O processo inverso da entropia, que leva ao reparo, à regeneração e ao renascimento, denomina-se "sintropia".

Uma vez que todos nós estamos destinados a morrer, podemos dizer que a vida flui ao longo do rio da entropia. Mas, ao mesmo tempo, a natureza também nos fornece a possibilidade da sintropia. Uma coisa viva que gere vida nova a partir de uma parte do seu corpo caracteriza sintropia. Nos animais, por exemplo, o óvulo da mãe e o espermatozoide do pai se unem para gerar uma nova vida. O mesmo acontece com as plantas. Mesmo que o tronco de uma planta esteja em decomposição, um novo broto crescerá de sua semente ou da ponta de uma de suas raízes. Alguns peixes, como o salmão, dão a própria vida para gerar outra, nadando contra a corrente para desovar e morrer. Esses exemplos representam o momento em que ocorre a mudança de entropia para sintropia.

A entropia e a sintropia coexistem no plano da natureza.

O corpo humano se regenera todos os dias por meio do metabolismo. Mesmo que fiquemos doentes, nossa capacidade natural de cura ajuda a nossa recuperação. Essas são funções da sintropia. No entanto, para que a sintropia de nosso corpo funcione bem, precisamos viver segundo as leis da natureza. Passei o livro inteiro promovendo a boa alimentação e o estilo de vida adequado para se viver segundo essas leis.

Existe um único fator que pode converter a entropia do corpo humano em sintropia, é a força da mente. Ressalto a importância da motivação e da felicidade, bem como a maneira como elas nos ajudam a ter uma vida saudável, porque quero enfatizar o poder e a influência da mente sobre o corpo físico.

Atualmente, a medicina especializada não dá a devida atenção a fatores mentais, como a motivação, embora ela exerça grande influência sobre o corpo e seja indispensável a uma vida com saúde e vigor.

As pessoas que estão sempre expostas ao público, como atores, atrizes, políticos e homens de negócio, costumam ter uma exuberância juvenil. A consciência que elas têm de serem o centro das atenções mexe com a sua motivação. Por outro lado, sempre ouvimos falar de pessoas que — antes muito ativas — envelhecem ou adoecem repentinamente a partir do momento em que se aposentam, sem dúvida nenhuma por causa da perda de motivação. Homens e mulheres que moram sozinhos e que, por exigência de seu trabalho, não têm outros interesses, não saberão o que fazer depois de aposentados. As pessoas mais equilibradas terão maior probabilidade de fazer uma transição saudável para a vida pós-aposentadoria.

Se, depois de ler este livro, você começar a seguir meu conselho de evitar alimentos oxidados e derivados do leite, beber água de boa qualidade e concentrar-se nos sentimentos de gratidão e felicidade todos os dias, o seu corpo começará a passar do estado de entropia para o de sintropia.

O importante é começar a agir imediatamente para aproveitar o impulso de sua motivação. Seja qual for o grau de seriedade com que você pensa em melhorar sua alimentação, beber água de boa qualidade ou parar de beber ou fumar, se esses pensamentos não forem acompanhados por ação, você acabará com sentimento de culpa e de missão não cumprida, além das emoções negativas que certamente não farão bem à sua saúde.

Muitas doenças conhecidas no passado como "doenças de adulto" atualmente têm sido chamadas de "doenças relacionadas ao estilo de vida". Entretanto, toda vez que tenho oportunidade, digo às pessoas que as doenças realmente decorrem da ignorância ou da falta de autocontrole. São palavras duras, eu sei, para os que realmente estão doentes. E como muitas dessas pessoas ficaram doentes por falta de conhecimento, a culpa maior é dos médicos ou dos padrões da nossa sociedade.

E mais, digo que essas doenças decorrem da falta de controle porque eu gostaria que todos compreendessem muito bem que os que conseguem controlar-se podem evitar muitas doenças.

Os médicos e os padrões da sociedade podem ser responsabilizados pela falta de conhecimento sobre esses assuntos, pois os próprios médicos estão entre as pessoas que mais ficam doentes. Conheço muitos médicos que têm câncer e diabetes. De fato, há várias décadas, li que a expectativa média de vida dos médicos norte-americanos era de 58 anos. Em outras palavras, até os médicos, que supostamente são "especialistas em doenças", não têm o conhecimento básico sobre alimentação e saúde.

Embora este livro tenha sido escrito com base na riqueza dos casos clínicos que estudei, você não ficará saudável simplesmente lendo o que eu disse. Para ficar saudável, você terá de adotar a conduta correta. Embora modesto no início, o desenvolvimento de bons hábitos acabará exercendo um impacto significativo sobre a sua saúde. E *nunca* é tarde para começar uma coisa boa.

Ainda que existam diferenças de acordo com a área do corpo, a maior parte das células, normalmente, é substituída a cada 120 dias. Assim, aos que estão dispostos a adotar a Alimentação e o Estilo de Vida do Fator Enzimático, aconselho que o sigam primeiro por quatro meses. Se conseguirem fazer com que o organismo passe da entropia para a sintropia, verão uma mudança drástica já nesse curto período.

Com alimentos saudáveis, estilo de vida adequado, água de boa qualidade, repouso necessário, exercícios moderados e interesse por coisas motivadoras, sem dúvida nenhuma seu corpo responderá de maneira positiva. Mesmo quando não está em boas condições de saúde, o organismo está continuamente se esforçando para permanecer saudável. Como médico, ficarei muito satisfeito se, depois de ler este livro, você colocar minhas sugestões em prática e sua saúde melhorar radicalmente.

Apêndices

As sete chaves de ouro do dr. Shinya para a saúde

USE ESTAS CHAVES PARA PRESERVAR AS "ENZIMAS MILAGROSAS" DE SEU CORPO E DESFRUTAR DE UMA VIDA LONGA E SAUDÁVEL

1. BOA ALIMENTAÇÃO

1. 85 a 90% de alimentos de origem vegetal:

a. 50% de grãos integrais, arroz integral, massa de trigo integral, cevada, cereais, pão integral e leguminosas que incluem soja, feijão roxinho, grão-de-bico, lentilha, feijão-carioca, feijão-guandu, feijão-preto, branco e rosa.
b. 30% de vegetais amarelos e verdes e tubérculos, incluindo batata, cenoura, inhame e beterraba, e vegetais marinhos.
c. 5 a 10% de frutas, sementes e nozes.

2. 10 a 15% de proteína animal (não mais que 85 a 115 g por dia):

a. Qualquer tipo de peixe, preferencialmente peixe pequeno porque os grandes contêm mercúrio.
b. Aves: frango, peru, pato — somente pequenas quantidades.
c. Carne de vaca, carneiro, porco — consumo restrito ou nenhum consumo.
d. Ovos.
e. Leite de soja, queijo de soja, leite de arroz e leite de amêndoa.

Alimentos que devem ser acrescentados à sua alimentação:

1. Chás de ervas.
2. Comprimidos de alga marinha (*kelp*).
3. Lêvedo de cerveja (boa fonte de vitamina do complexo B e minerais).
4. Pólen de abelha e própolis.

5. Suplementos de enzima.
6. Suplemento multivitamínico e mineral.

Alimentos e substâncias que devem ser evitados ou restritos:

1. Laticínios, como leite de vaca, queijo, iogurte e outros derivados do leite.
2. Chá-verde, chá chinês, chá-preto (no máximo 1 a 2 xícaras por dia).
3. Café.
4. Doces e açúcar.
5. Nicotina.
6. Álcool.
7. Chocolate.
8. Gorduras e óleos.
9. Sal de mesa normal. (Use sal marinho com elementos-traço.)

Outras recomendações alimentares:

1. Pare de comer 4 a 5 horas antes de se deitar.
2. Mastigue cada bocado 30 a 50 vezes.
3. Não coma entre as refeições, exceto frutas frescas. (Quem não consegue dormir por causa da fome, pode comer um pedaço de fruta *in natura*, pois elas são de digestão rápida.)
4. Coma frutas e beba sucos 30 a 60 minutos antes das refeições.
5. Coma grãos e cereais integrais e não refinados.
6. Coma mais alimentos crus ou ligeiramente cozidos no vapor. O aquecimento da comida acima de 47,7°C mata as enzimas.
7. Não coma alimentos oxidados. (A fruta que adquiriu um tom marrom começou a oxidar.)
8. Coma alimentos fermentados.
9. Seja disciplinado em relação aos alimentos que você come. Lembre-se de que você é o que come.

2. ÁGUA DE BOA QUALIDADE

A água é essencial para a saúde. Beba água com forte capacidade de redução e que não tenha sido poluída por substâncias químicas. A ingestão de "água de boa qualidade", como água mineral ou água dura, que tem mais cálcio e magnésio, mantém seu corpo em um pH alcalino ideal.

- Os adultos devem beber no mínimo de 6 a 10 copos de água por dia.
- Beba de 1 a 3 copos de água pela manhã ao se levantar.
- Beba de 2 a 3 copos de água uma hora antes das refeições.

3. ELIMINAÇÃO REGULAR

- Adquira o hábito diário de remover os poluidores intestinais e de limpar seu sistema regularmente.
- Não tome laxantes.
- Para intestino preguiçoso e para desintoxicação do fígado, o enema de café é uma boa opção. O enema de café é muito bom para desintoxicar o cólon e o organismo como um todo, pois, ao contrário de outros métodos de desintoxicação alimentar, ele não libera radicais livres na corrente sanguínea.

4. EXERCÍCIO MODERADO

- O exercício físico adequado à idade e à condição física faz bem à saúde, mas o excesso pode liberar radicais livres e danificar o corpo.
- Existem bons exercícios, como caminhada (quatro quilômetros), natação, tênis, ciclismo, golfe, musculação, yoga, artes marciais e aeróbica.

5. REPOUSO ADEQUADO

- Vá para a cama todos os dias à mesma hora e durma de 6 ou 8 horas seguidas.
- Não coma nem beba nada quatro ou cinco horas antes de dormir. Se você sentir fome ou sede, pode comer um pedaço pequeno de fruta uma hora antes de se recolher, pois ela será rapidamente digerida.
- Tire um cochilo de 30 minutos depois do almoço.

6. RESPIRAÇÃO E MEDITAÇÃO

- Pratique meditação.
- Pratique pensamento positivo.
- Faça respiração abdominal profunda 4 ou 5 vezes por hora. A expiração deve ser duas vezes mais longa do que a inspiração. Esse tipo

de respiração é muito importante porque ajuda a livrar o corpo de toxinas e radicais livres.

- Use roupas confortáveis e que não restrinjam a respiração.
- Ouça seu corpo e seja tolerante com você.

7. ALEGRIA E AMOR

- Alegria e amor estimulam o fator enzimático do corpo, às vezes de maneira milagrosa.
- Dedique algum tempo do dia para uma atitude de gratidão.
- Sorria.
- Cante.
- Dance.
- Viva apaixonadamente e envolva a sua vida, o seu trabalho e as pessoas que você ama com todo o seu amor.

Hábitos alimentares recomendados

MASTIGUE BEM OS ALIMENTOS

Mastigue cada bocado de alimento de 30 a 70 vezes. A mastigação libera uma secreção abundante de saliva e uma enzima que se liga facilmente ao suco gástrico e à bile, além de ajudar no processo da digestão. Mastigar bem os alimentos aumenta os níveis de glicose no sangue, o que suprime o apetite e reduz a fome. A mastigação também ajuda na absorção eficiente mesmo quando a quantidade de alimento é pequena.

COMA GRÃOS ORGÂNICOS SEMPRE QUE POSSÍVEL

Arroz integral, grãos e leguminosas integrais são muito bons, e os alimentos fermentados são ótimos. Coma leguminosas todos os dias. Elas contêm mais proteína do que a carne, além de vários elementos, como vitaminas, minerais e selênio.

COMA SOMENTE CARNE DE ANIMAIS COM TEMPERATURA CORPORAL INFERIOR À SUA

Comer carne de animais com temperatura corporal elevada, como carne bovina e de aves, não faz bem à saúde, pois esse tipo de gordura se solidifica na corrente sanguínea dos seres humanos. É muito melhor comer carne de animais de baixa temperatura corporal, como peixe, já que esse tipo de óleo se liquefaz em nosso organismo e limpa as artérias, em vez de obstruí-las.

EVITE COMER OU BEBER ANTES DE IR PARA A CAMA À NOITE

É importante fazer a última refeição quatro ou cinco horas antes de dormir à noite. Quando o estômago está vazio, a alta concentração de ácido mata a bactéria *Helicobacter pylori*, bem como outras bactérias ruins, criando um ambiente intestinal equilibrado e favorável à autocura, resistência e imunidade. A restrição de líquido e alimento antes de ir para a cama ajuda a evitar problemas de refluxo de ácido e apneia do sono.

BEBA DE 8 A 10 COPOS DE ÁGUA DE BOA QUALIDADE POR DIA

É importante encontrar o ritmo e o horário certo de beber água. Beba de dois a três copos pela manhã ao levantar-se e de dois a três copos trinta minutos a uma hora antes das refeições. Não se deve beber água durante nem após as refeições, pois as enzimas digestivas seriam diluídas. Se a ingestão de líquido durante ou após a refeição for inevitável, não deve passar de meio copo. A água de boa qualidade é isenta de substâncias nocivas ao organismo humano, como o cloro. Ela tem pequenos agrupamentos de moléculas e o equilíbrio adequado de minerais, como cálcio, magnésio, sódio, potássio e ferro. Seu pH deve ser superior a 7,5 ou ligeiramente alcalino, e o conteúdo de cálcio oxidado não deve ser grande. Em resumo, a água de boa qualidade é aquela capaz de eliminar radicais livres por meio da antioxidação.

COMA CARBOIDRATOS DE QUALIDADE

Os carboidratos são de fácil digestão e absorção e constituem uma fonte imediata de energia. Os carboidratos de boa qualidade contêm fibras alimentares, vitaminas e minerais, bem como todos os elementos que contribuem para a eficiência do metabolismo celular, do fluxo sanguíneo e da eliminação de resíduos. Os carboidratos de qualidade excelente, quando absorvidos e digeridos para gerar energia, produzem água e dióxido de carbono. Eles não produzem toxinas ou resíduos como os da proteína ou gordura metabolizada. Como o seu metabolismo não produz resíduos no sangue e não exige grande gasto de energia para ser digerido e absorvido, o carboidrato é a fonte ideal de energia para atividades de resistência.

Algumas fontes de carboidratos de alta qualidade:

- Açúcar não refinado ou mascavo
- Cevada não refinada
- Trigo-sarraceno
- Milheto
- Milho
- Amaranto
- Quinoa

- Pão integral
- Trigo-sarraceno escuro japonês moído a partir de grãos não refinados

ESCOLHA A GORDURA DE SUA ALIMENTAÇÃO COM CRITÉRIO

A gordura é classificada com base em sua origem — vegetal ou animal.

Os óleos vegetais incluem óleos de:
- oliva
- soja
- milho
- gergelim
- semente de colza
- açafrão
- farelo de arroz

As gorduras de origem animal incluem:
- manteiga
- banha de porco
- gordura bovina
- óleo de peixe

A classificação da gordura também pode ser feita segundo o seu conteúdo de ácidos graxos saturados ou insaturados. Os ácidos graxos saturados, como ácido esteárico e ácido palmítico são abundantes na gordura animal. Os ácidos graxos insaturados são encontrados nos óleos vegetais na forma de ácido linoleico, linolênico, aleico e araquidônico. Os ácidos linoleico e araquidônico são chamados ácidos graxos essenciais ou vitamina F e, como não são produzidos pelo organismo, precisam ser obtidos dos alimentos. A gordura animal promove o acúmulo de resíduos, levando à aterosclerose, hipertensão e obesidade. Os alimentos naturais, como arroz integral, semente de gergelim, milho e soja, contêm cerca de 30% de gordura e constituem uma fonte muito mais rica da gordura que o organismo necessita do que o óleo refinado, pois o seu metabolismo não sobrecarrega o pâncreas nem o fígado. Além disso, os óleos vegetais limpam os resíduos, como o colesterol, e previnem a aterosclerose preservando a flexibilidade das células e dos vasos sanguíneos. Os óleos vegetais vendidos como óleos para salada são tratados quimicamente e não são recomendados.

COMA ÓLEO DE PEIXE

O óleo de peixe faz bem para o cérebro. As elevadas concentrações de DHA encontradas no óleo de peixe foram relacionadas a habilidades matemáticas e outras. Embora os efeitos do DHA no sistema cerebral ou nervoso não sejam especificamente compreendidos, postula-se que o DHA reduz o risco de demência ou doença de Alzheimer. Alguns estudos mostram que o ômega 3 diminui o triglicerídeo, reduzindo a incidência de coágulos sanguíneos.

REDUZA SUA DEPENDÊNCIA DE MEDICAMENTOS MODIFICANDO SUA ALIMENTAÇÃO E FAZENDO EXERCÍCIOS SEMPRE QUE POSSÍVEL

A dependência de medicamentos, mesmo dos que são vendidos com receita médica, pode ser prejudicial ao organismo porque eles exigem demais do fígado e dos rins. Muitas doenças crônicas, como artrite, gota, diabetes e osteoporose, podem ser controladas com alimentação e exercício.

COMA ALIMENTOS RICOS EM FIBRA PARA A ELIMINAÇÃO ADEQUADA E PARA A PREVENÇÃO DE DOENÇAS RELACIONADAS À IDADE

As fibras alimentares são encontradas em uma grande variedade de alimentos, principalmente nos de origem vegetal, como verduras, legumes, vegetais marinhos, frutas, grãos não refinados, cereais e cogumelos. Os vegetais marinhos desidratados contêm uma quantidade de fibra alimentar que corresponde a 50 ou 60% do seu peso. A ingestão de fibra alimentar na forma de grânulo, cápsula ou líquido não é recomendada. Esses suplementos podem interferir na absorção de outros nutrientes, resultando em doenças.

OS MICRONUTRIENTES SÃO MILAGROSOS

Os micronutrientes incluem vitaminas, minerais e aminoácidos. O termo "micro" refere-se à menor quantidade necessária em comparação com as exigências "macro" de carboidrato, proteína, gordura e fibra alimentar. Os micronutrientes são essenciais à preservação da saúde, ao equilíbrio mental e emocional e à prevenção de doenças. O organismo precisa de determinadas quantidades desses nutrientes que são denominadas Consumo Diário Recomendado (RDA). O RDA representa a quantidade mínima necessária para evitar doenças. A exigência, no entanto, varia de indivíduo para indivíduo, dependendo da alimentação e do estilo de vida de cada um. Mesmo ingerindo todos os dias a mesma quantidade de um mesmo tipo de alimento com o mesmo número de calorias, a quantidade de nutrientes absorvidos e excretados dependerá do estado emocional, mental ou físico do corpo naquele dia. Uma alimentação saudável e natural na proporção adequada não é garantia de ingestão de quantidade suficiente de vitaminas, minerais ou aminoácidos.

USE SUPLEMENTOS COM MODERAÇÃO

É importante comer alimentos naturais que estejam equilibrados e sincronizados com o biorritmo de cada um. Vários estudos demonstram que a suplementação de micronutrientes pode minimizar as doenças relacionadas à idade e melhorar o índice de cura de câncer, cardiopatias e doenças crônicas. É justamente o trabalho de equipe de todos os nutrientes que contribui para a nossa saúde. A ingestão de dois ou três nutrientes com vitaminas e minerais, enquanto se excluem ou minimizam outros, impossibilitará a preservação da saúde, bem como a prevenção das doenças relacionadas à idade e a redução do processo de envelhecimento. O consumo de altas doses de uma vitamina ou mineral específico dentre os nutrientes essenciais pode ter efeito positivo para algumas pessoas e negativo para outras.

As vitaminas solúveis em água, como A, D, E e K ficam armazenadas no fígado e na gordura corporal, portanto não é necessário tomar esses suplementos todos os dias. As vitaminas solúveis em água, que são as vitaminas do complexo B e a vitamina C, dissolvem-se nos líquidos corporais e são excretadas na urina; por isso, a ingestão diária dessas vitaminas é importante, embora a dose necessária seja bastante pequena. (*Algumas pesquisas indicam que o exagero de suplementos pode ter efeito negativo sobre o sistema imunológico, além de aumentar os radicais livres e estimular alterações na gordura encontrada no fígado, no coração e nos rins. Ao mesmo tempo em que eu recomendo a suplementação de micronutrientes, os achados dessas pesquisas não devem ser desprezados, portanto sugiro moderação, autoconsciência e cuidado*).

AS VITAMINAS E OS MINERAIS TRABALHAM JUNTOS

As vitaminas são orgânicas e os minerais são inorgânicos. As funções desses nutrientes complementam-se uns aos outros. Por exemplo, a vitamina D facilita a absorção do cálcio. A vitamina C trabalha na absorção do ferro; o ferro ajuda no metabolismo dos grupos da vitamina B; o cobre estimula a ativação da vitamina C, e o magnésio metaboliza a vitamina C. O funcionamento integrado dos micronutrientes é amplo, e o nosso conhecimento a respeito desses processos ainda é restrito.

OS MINERAIS REFORÇAM SEU FATOR ENZIMÁTICO

Os minerais são necessários à preservação da saúde. Eles incluem:

- cálcio
- magnésio
- fósforo
- potássio
- enxofre
- cobre
- zinco
- ferro
- bromo
- selênio
- iodo
- molibdênio

Os minerais desempenham um papel tão importante quanto o das vitaminas na prevenção de doenças, como hipertensão, osteoporose e câncer. Eles atuam em sinergia com as vitaminas, as enzimas e os antioxidantes na eliminação dos radicais livres. Grandes quantidades diárias de minerais não são recomendadas, porém a sua deficiência pode criar sérios problemas de saúde. Os minerais reforçam a imunidade e a capacidade de cura, além de apoiar o fator enzimático do organismo.

Enquanto as vitaminas são encontradas em alimentos vivos, como vegetais e animais, os minerais são encontrados no solo, na água e no mar (como os sais orgânicos e inorgânicos). O conteúdo mineral dos alimentos depende do lugar e da qualidade do solo onde eles são cultivados. Os minerais do solo podem ser alterados ou destruídos pela chuva ácida ou pelos fertilizantes químicos. Os minerais das hortaliças, dos grãos e dos cereais perdem-se facilmente, e o processo de refinamento de grãos é responsável pela destruição da maioria deles. Isso dificulta a obtenção do nível equilibrado de minerais da nossa ingestão diária de alimentos. As deficiências minerais latentes manifestam-se como perda de vitalidade, déficit de atenção, irritabilidade, sobrepeso e outros problemas de saúde.

Os minerais são solúveis em água e são eliminados por meio da urina e da transpiração. O consumo de minerais pelo organismo pode variar de acordo com o dia, dependendo da nossa atividade mental e física, bem como de stress, esforço físico, menstruação, gravidez ou idade cronológica. Determinados medicamentos podem produzir deficiências minerais rapidamente. Diuréticos, contraceptivos orais, laxantes, álcool e fumo aceleram a excreção ou a destruição de cálcio, ferro, magnésio, zinco e potássio.

A HIPERATIVIDADE EM CRIANÇAS PODE SER, NA VERDADE, UMA DEFICIÊNCIA DE CÁLCIO

Os últimos estudos mostram o aumento de crianças com transtorno de déficit de atenção que são propensas a explosões de raiva. A alimentação e a nutrição podem exercer uma influência significativa sobre o comportamento e a adaptabilidade social da criança. Há uma tendência cada vez maior entre as crianças de consumir, em casa e na escola, muitos alimentos processados. Esses alimentos, além de conter vários aditivos, tendem a tornar o corpo ácido. A proteína animal e o açúcar refinado também são consumidos em quantidades crescentes, enquanto as verduras e os legumes costumam ser deixados de lado. A proteína animal e o açúcar demandam muito cálcio e magnésio, levando à deficiência de cálcio. Essa deficiência afeta o sistema nervoso, contribuindo para o nervosismo e a irritabilidade.

A INGESTÃO DE CÁLCIO EM EXCESSO DEPOIS DA MEIA-IDADE É PREJUDICIAL

O cálcio previne o câncer, resiste ao stress, reduz a fadiga e o colesterol e impede a osteoporose, mas a ingestão além da necessidade diária para corrigir deficiências é prejudicial. Já expliquei por que o leite e seus derivados constituem uma forma inaceitável de aumentar a ingestão de cálcio. Um dos tratamentos é a suplementação ativa de vitamina D e cálcio. A vitamina D facilita a absorção do cálcio no intestino delgado e estimula a formação dos ossos. O excesso de cálcio pode causar prisão de ventre, náusea, perda de apetite e distensão abdominal. Quando tomado sem alimento, ele pode afinar o suco gástrico, promovendo o desequilíbrio das bactérias intestinais e a absorção deficiente de ferro, zinco e magnésio. Se houver necessidade de suplementação, a ingestão diária recomendada é 800 a 1.500 mg, em três doses de 250 a 500 mg às refeições. O equilíbrio do cálcio com outros minerais e vitaminas é muito importante para a saúde.

O MAGNÉSIO ATIVA CENTENAS DE DIFERENTES ENZIMAS E É UM TRATAMENTO PARA ENXAQUECA E DIABETES

O magnésio é um mineral importante. O organismo precisa de grandes quantidades desse mineral para se manter saudável. A sua deficiência causa irritabilidade, ansiedade, depressão, tontura, fraqueza muscular, espasmo muscular, cardiopatia e hipertensão. Um estudo recente realizado na Alemanha indicou que os pacientes que tiveram infarto apresentaram baixos níveis de magnésio. Pesquisas nos Estados Unidos relataram que 65% dos pacientes com enxaqueca que foram testados sentiram completo alívio depois de tomar 100 a 200 mg de magnésio. Baixos níveis de magnésio prejudicam a tolerância à glicose. Portanto, níveis apropriados de magnésio favorecem o controle do diabetes.

O EQUILÍBRIO ENTRE O SÓDIO E O POTÁSSIO É PRÉ-REQUISITO PARA A VIDA

O sódio é conhecido como sal. Esse mineral é responsável pelo equilíbrio do líquido de dentro e de fora das células. O sódio mantém o pH (nível ácido e alcalino) correto do sangue e é um elemento indispensável para o funcionamento adequado do ácido gástrico, dos músculos e dos nervos. O sódio é abundante na vida, mas o uso de grande quantidade de laxante, extensos períodos de diarreia e atividades ou esportes vigorosos, sobretudo no calor, podem facilmente levar à deficiência desse mineral. O equilíbrio entre o sódio e o potássio provoca mudanças no líquido de dentro e de fora das células. Quando o potássio no líquido interno da célula está baixo, o sódio, com o líquido, corre para dentro da célula, fazendo-a inchar. O aumento do tamanho da célula pressiona as veias, estreitando o seu diâmetro e constituindo um dos fatores da hipertensão. A proporção ideal de sódio e potássio é de um para um, mas muitos alimentos processados contêm sódio, o que pode nos levar ao consumo excessivo sem que tenhamos consciência.

A ingestão adequada de legumes e verduras, juntamente com o suco que eles produzem, fornece potássio suficiente para permitir o equilíbrio com o sódio presente.

PEQUENAS QUANTIDADES DE ELEMENTOS-TRAÇO FUNCIONAM EM SINERGIA COM VITAMINAS, MINERAIS E ENZIMAS

Os elementos-traço são importantíssimos na sustentação da vida. As quantidades necessárias são pequenas, porém sua importância não pode ser ignorada. Eles ajudam a equilibrar e harmonizar as funções do corpo. Depois da absorção pelo intestino, o sistema circulatório transporta esses minerais às células, e eles penetram na membrana da célula. Não se pode esquecer de que a ingestão desses minerais deve ser equilibrada. O excesso de um ou dois desses elementos-traço resultará na perda de outros minerais e na má absorção pelo organismo. Assim, a melhor coisa é obtê-los dos alimentos, e não de suplementos. O sal marinho e os vegetais marinhos são boas fontes.

- **Boro:** importante para a absorção de cálcio e preservação dos dentes e ossos.
- **Cobre:** gera osso, hemoglobina e glóbulos vermelhos; gera elastina e colágeno, reduz os níveis de colesterol e aumenta o colesterol HDL. (Pacientes com tumores malignos, principalmente no trato digestório, pulmão e mama apresentam excesso de cobre no organismo, portanto deve haver uma ligação com o desenvolvimento de câncer.)
- **Zinco:** atua na produção de insulina; metaboliza carboidratos, cria proteína e absorve vitaminas do trato digestório, sobretudo a B; preserva a função da próstata e ajuda a saúde reprodutiva masculina.
- **Ferro:** principal componente da hemoglobina; atua na função das enzimas, das vitaminas do complexo B e na resistência a doenças.
- **Selênio:** impede a produção de radicais livres quando combinado com vitamina E. Esse mineral maravilhoso é encontrado em depósitos no solo. (O solo de Cheyenne, Wyoming, contém grandes quantidades de selênio em comparação com o de Muncee, Indiana. O índice de morte por câncer em Cheyenne é 25% inferior ao de Muncee.) Estudos indicam que a deficiência de selênio aumenta a incidência de câncer de próstata, pâncreas, mama, ovário, pele, pulmão, bexiga, cólon e reto, bem como de leucemia.
- **Cromo:** facilita o metabolismo de carboidratos e proteína; facilita o metabolismo da glicose mantendo os seus níveis no sangue de modo a reduzir a demanda de insulina, prevenindo a hipoglicemia e o diabetes.
- **Manganês:** metaboliza a proteína e a gordura; cria hormônios.
- **Molibdênio:** promove a saúde dos dentes e da boca.
- **Iodo:** importante para o bom funcionamento da tireoide e para prevenir o desenvolvimento de bócio.

Os **vegetais marinhos** são uma grande fonte de fibra alimentar. As fibras alimentares insolúveis que não são digestivas absorvem água do intestino, acrescentando massa às paredes intestinais e acelerando o movimento peristáltico. Desse modo, elas impedem o acúmulo de toxinas no cólon.

Nori é o nome japonês de várias espécies comestíveis da alga vermelha *Porphyra*, de forma especial a *P. yezoensis* e a *P. tenera*. O termo *Nori* também é usado para designar produtos alimentícios criados a partir desses "vegetais marinhos".

Kanten (ágar-ágar) é um vegetal marinho rico em vitaminas, minerais e elementos-traço, inclusive iodo, cálcio e ferro.

Hijiki (*Hizikia fusiformes*) é um vegetal marinho que cresce no litoral do Japão. O Hijiki é conhecido por ser rico em fibras alimentares e elementos-traço. As mulheres japonesas acreditam que ele torna os cabelos espessos e saudáveis.

Aonori é uma alga rica em ferro, potássio e vitamina C. Ela contribui para a produção de colágeno e elastina da pele e é conhecida por suas propriedades antienvelhecimento.

Wakame é um vegetal marinho encontrado nas águas do Japão. Um dos seus componentes ajuda a queimar gordura.

Kima é um cogumelo comestível da Síria, valioso estimulador do sistema imunológico.

Maitake é o nome japonês para o fungo comestível. Esse cogumelo tem sido usado tradicionalmente para fins alimentícios e para fins medicinais. Os extratos de cogumelo *maitake* estimulam o sistema imunológico. Acredita-se que esses extratos tenham efeitos antitumorais.

Kikurage é um fungo que, quando fatiado e cozido com qualquer outra coisa (delicioso frito e na sopa), assume uma textura crocante e um sabor suave que combina com tudo. Também é conhecido por seus benefícios à saúde.

Chaga é um cogumelo antioxidante natural com propriedades medicinais. É uma das plantas medicinais mais antigas da natureza. Atribui-se a ela a propriedade de combater vírus, estimular o sistema nervoso central, suprimir o crescimento de tumores e de células cancerosas, reduzir a contagem de glóbulos brancos, reduzir a pressão arterial e venosa, reduzir os níveis de açúcar, melhorar a cor e a elasticidade da pele, restaurar a aparência jovem e desintoxicar o fígado, os rins e o baço.

Shitake é um cogumelo que contém um aminoácido específico que ajuda a acelerar o processamento do colesterol no fígado. O *shitake* também combate o câncer de forma notável. Um componente polissacarídeo do *shitake* parece estimular as células do sistema imunológico para atuar na limpeza das células tumorais e parece ser eficaz contra HIV e hepatite B. Foi comprovado que o cogumelo *shitake* interrompe os danos às células causados por *herpes simplex I* e *II*.

Impresso por :

Graphium
gráfica e editora

Tel.:11 2769-9056

Impresso por :

Graphium
gráfica e editora

Tel.:11 2769-9056